# Y NADOLIG CYNTAF

*Ysgrifau ar gymeriadau a themâu'r Adfent a'r Nadolig*

VIVIAN JONES

*Argraffiad Cyntaf – Gorffennaf 2006*

Rhif Llyfr Rhyngwladol: 1 871799 51 1



Mae'r cyhoeddwyr yn cydnabod cefnogaeth ariannol Cyngor Llyfrau Cymru.



**Llun y clawr: "Annunciation" gan Paul Woelfel, Nigeria**
**Caed caniatâd Galleria d'arte Contemporanea, Pro Civitate, Assisi (Italia).**

*Cyhoeddwyd gan Dŷ John Penri*
*5 Axis Court, Parc Busnes Glanyrafon, Bro Abertawe, SA7 0AJ*
*undeb@annibynwyr.org*

*Argraffwyd gan Wasg Morgannwg, Castell-nedd*

# *Cynnwys*

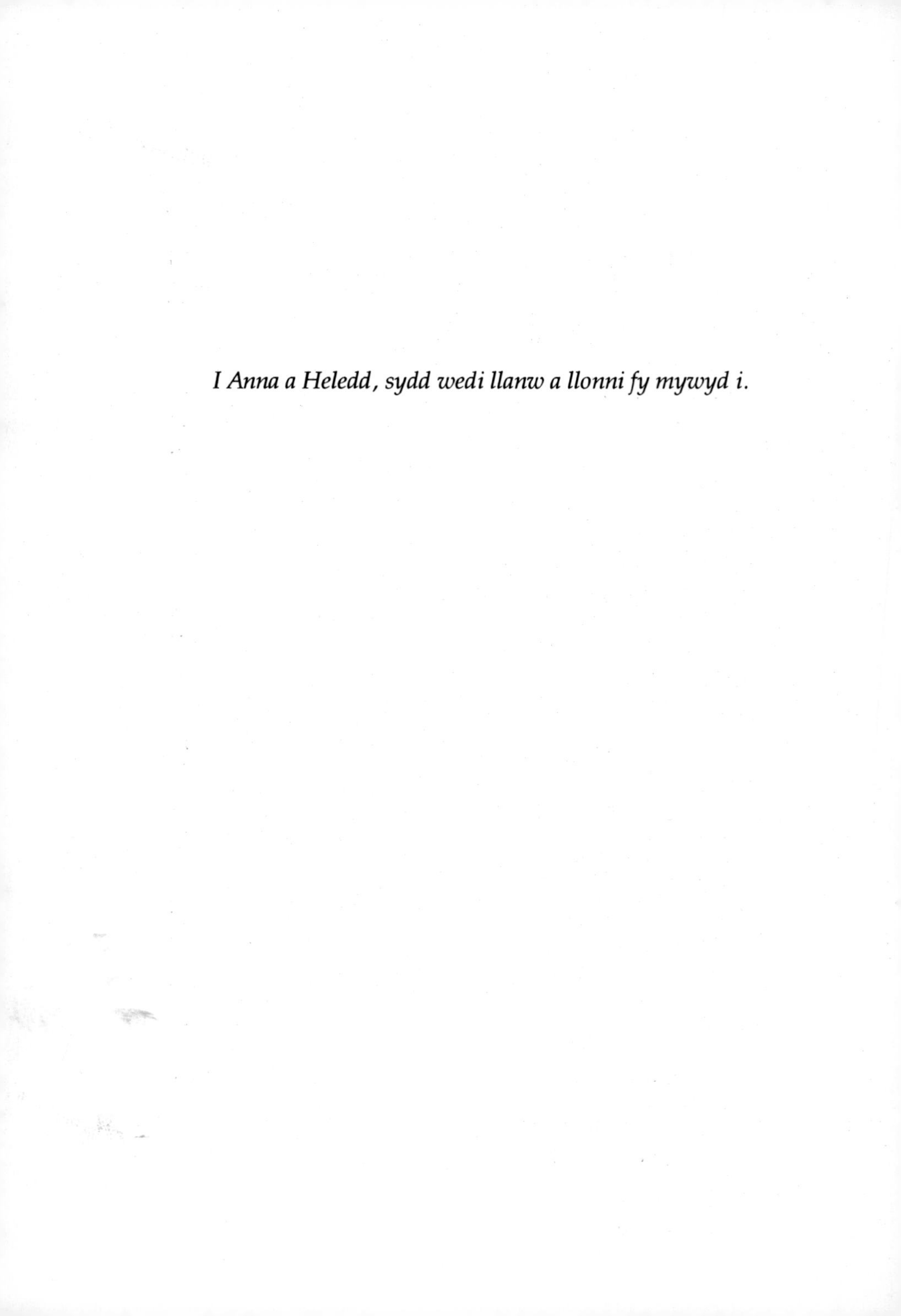

*I Anna a Heledd, sydd wedi llanw a llonni fy mywyd i.*

# *Rhagair*

Yn fuan wedi i mi gael fy ordeinio'n weinidog, gwelais y byddai rhaid i mi gyfansoddi sawl pregeth bob blwyddyn weddill fy ngyrfa ar faes nad oedd dim sylweddol wedi ei ysgrifennu yn ei gylch. Y maes hwnnw oedd yr hanesion am eni Iesu. Yna yn 1977 cyhoeddwyd *'The Birth of the Messiah'*, llyfr gan Raymond Brown, Pabydd hyfryd a oedd yn Athro Astudiaethau Beiblaidd (bu farw yn 1998) yng Ngholeg Diwinyddol Protestannaidd *Union* yn Efrog Newydd – lle bu W. D. Davies o Lanaman yn Athro o'i flaen.

Yn y Rhagair i'w lyfr eglurodd Brown mai'r hanesion hyn oedd y ffin olaf i'w chroesi yn yr agwedd feirniadol fodern at yr efengylau. Cyn i'w lyfr ef ymddangos meddai, nid oedd yr un gwaith ysgolheigaidd cyfoes, mewn unrhyw iaith yr ymdrinnir â'r Beibl ynddi, wedi eu trafod i gyd gyda'i gilydd. Fe'u hesgeuluswyd, medd Brown, am fod ysgolheigion yn credu bod straeon ynghylch breuddwydion ac angylion a seren a doethion o'r dwyrain yn gyfryngau annheilwng i neges yr efengyl. Heb 'wir ddiwinyddiaeth' ynddynt ni chredent fod y 'chwedlau' hyn yn addas ond i ramantwyr a phobl naïf. Felly ni chawsant fawr o le mewn rhagymadroddion i'r Testament Newydd, neu esboniadau ar yr efengylau sy'n eu cynnwys, heb sôn am mewn cyrsiau colegau diwinyddol.

Buom i gyd ar ein colled o achos hynny, pe bai ond am duedd hyd yn oed Cristnogion i ystyried yr hanesion yn straeon i blant, ac i gredu a dweud mai amser i blant yw'r Nadolig ei hun.

Eithr credai Brown fod hanesion y geni'n gyfryngau teilwng i neges yr efengyl, fod hanfod yr efengyl ynddynt, sef bod Duw wedi bod yn bresennol mewn modd arbennig ym mywyd cyfan Iesu, o'r dechrau i'r diwedd. Credai felly eu bod yn haeddu sylw gorau ei ysgolheictod, a'r canlyniad fu llyfr cynhwysfawr sy'n dal yn gymorth blynyddol i lu o bregethwyr – gan gynnwys rhai yng Nghymru mi wn – wrth iddynt ymgodymu â neges y Nadolig. Efallai iddo hefyd agor y drws i ysgolheigion Beiblaidd a diwinyddion ymdrin â phynciau eraill a fu ar un adeg yn amheus yn eu golwg – yn 1994 cyhoeddodd cylchgrawn diwinyddol o fri rifyn cyfan yn trafod angylion!

Gan gredu ers amser ei bod yn hen bryd i ni gael llyfr yn Gymraeg yn ymwneud â hanesion y geni, ymgymerais fy hun â'r gwaith o ysgrifennu'r gyfrol hon. Gobeithiaf y bydd hi yn gyntaf oll yn bleser ac o fudd i unrhyw un a fyn ei darllen. Gall y darllenydd bori ynddi ble ac fel y myn. Os bydd hefyd o gymorth i weinidogion a phregethwyr ac athrawon Ysgol Sul y Gymru Gymraeg wrth iddynt drefnu ar gyfer dathlu'r Nadolig, gorau oll. Gobeithio y bydd nid yn unig yn cynnig gwybodaeth iddynt, ond y bydd yn ysgogi eu dychymyg. Efallai y gall y deunydd ynddi fod o wasanaeth hefyd i eglwysi heb weinidog sy'n gorfod trefnu rhywfaint o'u haddoli eu hunain.

Credodd ambell gydnabod fy mod yn ysgrifennu ar faes cyfyng, ond ymwybodol yr wyf fi o gymaint o'r maes cyfoethog a chymhleth hwn nad wyf wedi cyffwrdd ag ef. Nodais dim ond y cyfeiriadau Beiblaidd y teimlais y byddent fwyaf defnyddiol, byddai nodi pob un wedi golygu llyfr llawer yn hirach! Ni soniais fawr am elfennau yn rhai o'r hanesion, megis y *Benedictus*, a'r *Nunc Dimittis,* nac am rai o'r hanesion eu hun, megis y ffoi o Joseff a'i deulu bach i'r Aifft. Ni ddilynais chwaith y cwestiynau niferus a gwyd ohonynt. Nodaf rai yn y Rhagymadrodd, a dyna'i gyd. Ceisiais ganolbwyntio ar negeseuon yr hanesion, a rhai o'u goblygiadau.

Defnyddiais yr Argraffiad Diwygiedig (2004) o 'Y Beibl Cymraeg Newydd'. Diolch i'r rhai fu'n gyfrifol amdano. Gan gofio am y lle a roddir yn hanesion y geni – ac yn yr efengylau'n gyffredinol – i fenywod, diolch yn arbennig iddynt am hepgor, lle mae modd, iaith sy'n cau menywod allan. Ceisiais ddilyn rhyw drefn amseryddol wrth ymdrin â chymeriadau a themâu, ond nid oedd yn bosibl gwneud hynny'n drylwyr. Gellid, er enghraifft, ymdrin â rhai ohonynt yn adran yr Adfent neu yn adran y Nadolig – ymddengys Mair a Joseff ac angylion yn yr efengylau cyn y geni ac wedi'r geni.

Gadewais naill ochr gwestiynau ynghylch awduron yr efengylau gan ddefnyddio'r enwau cyfarwydd, ac yn hytrach na defnyddio'r enwau Abram a Sarai (eu henwau cyn cyfamodi â Duw) mewn un man, ac Abraham a Sara (eu henwau wedi iddynt gyfamodi â Duw) mewn man cyfagos, defnyddiais Abraham a Sara bob tro.

Dylwn nodi, fel y gwnaeth Brown ynghylch ei lyfr ef, bod rhai pethau yn y llyfr hwn sy'n wahanol i'r hyn a ddysgodd pawb ohonom. Fe'm cyfoethogwyd i gan y gwahaniaethau hynny, a dymunaf i hynny fod yn brofiad i bob darllenydd.

Diolch i gymwynaswyr a fenthycodd lyfrau i mi. Diolch i Havard Gregory am yrru ataf y garden Nadolig y soniaf amdani yn yr ysgrif 'Joseff, Gŵr y Sedd Gefn'. Diolch eto i Gareth Richards a Dafydd Jones o Wasg Morgannwg am eu gwaith a'u hynawsedd. Diolch i John Evans, Clydach, am ei help parod iawn â'r iaith. Diolch i Dewi Myrddin Hughes, Ysgrifennydd Undeb yr Annibynwyr, am ei gefnogaeth ac am ei gywirdeb personol dibynadwy. Diolch i Mary am ofalu am gant a mil o bethau dros y blynyddoedd er mwyn i mi gael rhyddid byth a hefyd i ymneilltuo i'm goruwch ystafell!

# *Rhagymadrodd*

Hanes yn mynd tuag yn ôl yw deall y Cristnogion cynnar o arddeliad unigryw Duw o Iesu. Yn nyddiau cyntaf yr Eglwys, y prawf o'r arddeliad hwnnw oedd ei atgyfodiad. Wedi'r atgyfodiad, ac oherwydd hynny, y gelwid ef yn Fab Duw (gweler, er enghraifft, Actau 5:30-31, a Rhufeiniaid 1:4). Gydag amser daeth Cristnogion i gredu bod Iesu wedi ei arddel mewn modd unigryw gan Dduw cyn hynny mae'n rhaid, o ddechrau ei weinidogaeth gyhoeddus o leiaf. Felly cychwynna Efengyl Marc, yr efengyl gyntaf i'w rhoi at ei gilydd (rhwng tua 65 a 70 O.C.), â dechrau gweinidogaeth gyhoeddus Iesu, sef â'i fedydd gan Ioan Fedyddiwr. Dywed am Ysbryd Duw yn disgyn arno bryd hynny 'fel colomen', a 'llais o'r nefoedd' yn dweud "Ti yw fy Mab, yr Anwylyd, ynot ti yr wyf yn ymhyfrydu".

Erbyn ysgrifennu'r ddwy efengyl nesaf, Efengyl Mathew ac Efengyl Luc (yn yr 80au mae'n debyg), credai Cristnogion fod Duw wedi arddel Iesu mewn modd unigryw o'i eni, felly cychwynna'r ddwy efengyl â dwy bennod yr un yn adrodd hanesion am ei eni. Erbyn cyfansoddi Efengyl Ioan (yn y 90au?), tyfasai'r gred bod perthynas unigryw rhwng Iesu a Duw cyn hynny hyd yn oed. Felly cychwynna Efengyl Ioan, 'Yn y dechreuad yr oedd y Gair;.....A daeth y Gair yn gnawd.'

Yn y ddwy bennod gyntaf o Efengylau Mathew a Luc felly y cawn yr hanesion am eni Iesu – a dim ond yn y mannau hynny. Nid oes sôn am eu cynnwys yn unman arall yn y Testament Newydd. Nid yw hyd yn oed gweddill Efengylau Mathew a Luc yn cyfeirio'n ôl atynt.

Mae wyth deg naw o benodau yn yr efengylau. Nid yw pedair

pennod yn gyfran fawr o'r cyfan hynny, ond cred Brown eu bod yn llawer pwysicach na'u hyd. Fe'u galwodd yn *mini-gospels* am eu bod yn cynnwys yr holl elfennau pwysig sy'n dilyn yn eu hefengylau. Er enghraifft, ymfalchïai Iddew yn ei achau, ond nid byth y cynhwysai menywod yn eu plith. Eithr yn rhestr achau Iesu ar ddechrau pennod gyntaf Mathew enwir pedair menyw – pump a chyfrif Mair – rhagflas o'r pwyslais ar wragedd yng ngweddill yr efengylau, ac o'r lle a roddir i Mair. Felly hefyd mae gelyniaeth Herod i'r baban Iesu, a'i gais i'w ladd, yn rhagargoel o elyniaeth yr ysgrifenyddion a'r Phariseaid a'r Sadwceaid tuag ato ar ddiwedd ei oes.

Yr oedd gan Mathew a Luc resymau dros ysgrifennu hanesion y geni heblaw dangos bod arddeliad unigryw Duw o Iesu wedi dechrau â'i eni. Un oedd porthi chwilfrydedd eu cyd-Gristnogion a oedd erbyn hynny'n gofyn cwestiynau – ynghylch hynafiaid a theulu Iesu a'i fan geni. Rheswm arall oedd 'amddiffyn' yr efengyl. Er enghraifft, oherwydd bod rhai Iddewon yn credu bod Ioan yn fwy na Iesu, ceisiodd Luc ddangos y gwrthwyneb. Gosododd hanesion cyhoeddi eu geni ochr yn ochr, a dangos bod geni Iesu'n rhyfeddach na geni Ioan.

Yr oedd rhesymau 'diwinyddol' hefyd. Gan nad oedd sôn yng ngweithiau'r proffwydi am Feseia wedi ei eni yn Nasareth, lle y magwyd Iesu, a bod proffwydoliaeth Micha ynghylch Bethlehem, pum milltir i'r de o Jerwsalem, eisoes yn gysylltiedig â man geni'r Meseia (Mathew 2:4-6), yr oedd Mathew a Luc eisiau gwneud yn glir mai Bethlehem oedd ei fan geni. Yr oedd Mathew a Luc hefyd eisiau dangos i Iddewon gelyniaethus i'r efengyl, ac i Gristnogion, nad chwiw newydd oedd yr efengyl ond bod iddi wreiddiau dwfn yn yr Hen Destament. Un ffordd o wneud hynny oedd drwy egluro bod bywyd Iesu o'r cyntaf yn ailadrodd stori ei bobl, megis yn y darlun o Joseff ei dad yn freuddwydiwr, ac yn mynd i waered i'r Aifft, fel y Joseff arall, Joseff 'y siaced fraith', hoff fab Jacob, a oedd hefyd yn freuddwydiwr, ac a aeth i waered i'r Aifft.

Yr oedd llawer, gan gynnwys ei ddilynwyr, yn dystion o groeshoeliad Iesu, ac yr oedd ei ddilynwyr yn dystion o'i atgyfodiad hefyd. Ond nid oedd yr un o'r rheiny'n dystion i'w eni. Gan fod Mathew'n sôn llawer am Joseff, a Luc yn sôn llawer am Mair, credodd rhai mai Joseff oedd ffynhonnell hanesion y geni yn Efengyl Mathew, ac mai Mair oedd ffynhonnell yr hanesion yn Efengyl Luc. Ond golyga hynny ragdybio nad oedd y ddau wedi siarad â'i gilydd am hyn oll! Nid yw'n ymddangos, er enghraifft, bod yr un ohonynt wedi dweud wrth y llall iddo ef neu iddi hi gael gwybodaeth gan angel am eni Iesu.

Nid cyfansoddiadau diwnïad yw hanesion Mathew a Luc am y geni. Mae cwestiynau'n codi ohonynt. Er enghraifft, digwyddiad anghyffredin iawn yng nghymdogaeth Bethlehem bryd hynny fyddai ymweliad seryddion o'r dwyrain â'r tŷ yr oedd y plentyn Iesu ynddo gyda'i rieni, Mair a Joseff. Pam felly yr oedd Herod yn gorfod lladd pob bachgen ym Methlehem a'r cyffiniau er mwyn ceisio ei ladd ef?

Mae gwahaniaethau rhyngddynt hefyd. Yn ôl Luc mae Mair yn byw yn Nasareth, ac yn teithio gyda Joseff i Fethlehem, lle ganed Iesu, ond yn ôl Mathew nid oes sôn am deithio, ymddengys bod Mair eisoes mewn tŷ ym Methlehem (2:11). Mae'r ddwy efengyl weithiau'n croesddweud ei gilydd hyd yn oed: yn ôl Mathew (2:14,16), ymddengys bod Iesu o gwmpas dwy flwydd oed pan ffôdd y teulu bychan o Fethlehem i'r Aifft rhag ofn Herod, ond yn ôl Luc, wedi'r geni ym Methlehem, ac i Mair a Joseff 'gyflawni popeth yn unol â Chyfraith yr Arglwydd', aeth y teulu yn ôl i Nasareth (2:39).

Ffynonellau Mathew a Luc oedd rhai ffeithiau hysbys, megis bod Iesu wedi ei eni 'yn nyddiau Herod frenin', peth gwybodaeth oddi wrth Mair efallai, a berthynai i'r cwmni cynnar o ddilynwyr Iesu yn Jerwsalem (Actau 1:14), straeon wrth law a oedd eisoes yn cael eu cysylltu a geni Iesu – megis ymweliad y seryddion, ond uchlaw'r cyfan, themâu a phroffwydoliaethau o'r Hen Destament. Eu hamcan oedd gwau'r cyfan at ei gilydd, nid er mwyn rhoi hanes manwl a chywir a chyson o'r digwyddiadau ynghlwm wrth ei eni, ond er mwyn rhoi mynegiant creadigol i'w hargyhoeddiad a'u rhyfeddod bod Iesu wedi ei arddel mewn modd unigryw gan Dduw ers ei ddyfodiad i'r byd. Nid ydynt wedi cau pen pob mwdwl o bell ffordd, ond yn eu barn hwy yr oedd eu cywaith yn arweiniad addas i arwyddocâd person a bywyd cyfan Iesu y byddai gweddill eu hefengylau'n dweud amdano. Yn ôl eu llwyddiant yn hynny y dylid eu pwyso a'u mesur. A barnu oddi wrth yr effaith a gafodd eu hanesion ar ddeall Cristnogion drwy'r oesoedd am natur Iesu, a'r sylw a gawsant gan y dychymyg Cristnogol poblogaidd, a llên a cherdd a'r celfyddydau cain – mwy nag a gafodd yr un gwedd o fywyd Iesu ond ei ddioddefaint – pwy a wad nad ydynt wedi llwyddo yn eu hamcan.

Gwahodda eu hanesion ninnau i ymateb iddynt â'r un ysbryd creadigol. Amcana'r llyfr hwn felly at gyflwyno gwybodaeth am yr hen hanesion rhyfedd ac annwyl hyn, a barn ysgolheigion Beiblaidd a diwinyddion amdanynt, a chyflwyno hefyd ymatebion 'creadigol' iddynt fel y teimlais y galw, rhai meddyliol, rhai myfyrgar, rhai gan eraill, rhai gan yr awdur ei hun.

Un o adnoddau'r ffydd Gristnogol yw gallu'r Beibl i fod yn agored i gynifer o lefelau a chyfeiriadau o ddehongliadau. Yr adroddiad yn Ecsodus o'r Israeliaid yn crwydro drwy'r anialwch, barddoniaeth ryddhad Ail-Eseia, hanesion y groes a'r atgyfodiad, gallant i gyd gyfleu – heb unrhyw wyrdroi o'r testun – haenau o ystyron ymhell y tu hwnt i'r hyn y bwriadai eu hawduron eu cyfleu. Gellid tynnu un math ar ystyr allan ohonynt ac mae un arall oddi tano eto – *ad infinitum* yr ymddengys weithiau. Mae iddynt ystyron arbennig i'w cyfnod er enghraifft, ond gall fod ystyron oesol iddynt yn ogystal. Gallant hefyd estyn allan a chasglu atynt amrywiaethau a phatrymau eraill o ystyron. Dyna un o nodau ysgrifennu gwir fawr wrth gwrs – ac unrhyw gelfyddyd fawr o ran hynny. Mae hyn oll yn wir am hanesion Efengylau Mathew a Luc ynghylch geni Iesu.

Er hynny, ni ellir tadogi iddynt unrhyw ystyr y mynnwn ni. Rhaid cofio bod cefndir i holl gynnwys y Beibl, a rhaid gweld popeth sydd ynddo yn erbyn y cefndir hwnnw. A'r cefndir hwnnw yw'r frwydr gosmig sy'n dechrau â'r creu yn Genesis ac yn dod i ben â buddugoliaeth derfynol yn llyfr Datguddiad, y frwydr fawr waelodol rhwng bywyd a phopeth sy'n elyniaethus i fywyd. Iddo fod yn ddilys, rhaid i unrhyw ystyr a gawn ni yn unrhyw ran o'r Beibl gyfrannu at y naratif gorchestol hwnnw.

# *Yr Adfent*

Daw'r gair Adfent o'r Lladin *adventus* sy'n golygu dyfodiad. Yn ôl y calendr Cristnogol traddodiadol, yr Adfent yw'r cyfnod i baratoi ynddo ar gyfer dathlu dyfodiad Iesu i'n byd. Yn Eglwysi'r Gorllewin dechreua ar y Sul agosaf at Dachwedd 23. (Mae'r dyddiad yn wahanol yn yr Eglwys Uniongred, prif Eglwys y Dwyrain.)

Er iddynt gadw'r Groglith a'r Pasg, fel gweddill byd cred, ni chadwai cyndadau a chynfamau rhai ohonom y Nadolig, oherwydd er i'r Beibl ddweud ar ba ddiwrnodau y digwyddodd y croeshoelio a'r atgyfodiad, ni ddywed ar ba ddiwrnod y ganed Iesu. Heb awdurdod Beiblaidd dros y dydd ni theimlent y gallent ei ddathlu. Yn ôl Bradford, eu hanesydd o'u plith eu hunain, gweithio fel ar unrhyw ddiwrnod arall (ond y Sul) a wnaeth y Mamau a'r Tadau Pererin ar eu Nadolig cyntaf hwy yn 1620 yn America.

Nid oedd ar y Cristnogion hynny angen Adfent felly, ond yr ydym ni, eu disgynyddion, yn derbyn sawl peth a fyddai'n anathema iddynt hwy, megis organ bib a ffenestri lliw mewn capel, a bellach, yr ydym hefyd yn cadw'r Nadolig. Ond a bod yn gywir, yr hyn a wna eglwysi Anghydffurfiol yw dathlu'r Nadolig cyn pryd, ei dynnu ymlaen a'i ddathlu yn ystod yr Adfent. Dro'n ôl, mewn papur enwadol Cymraeg, disgrifiwyd y Sul cyntaf y dylid dathlu geni Iesu arno, sef y Sul yn dilyn y Nadolig, fel y Sul o holl Suliau'r flwyddyn yr â'r nifer lleiaf o bobl i'r cwrdd arno! Erbyn hynny wrth gwrs, mae'r plant wedi perfformio eu pasiant, y parti Nadolig wedi ei gynnal, a byddwn wedi canu'r carolau – cyn i'r Nadolig gyrraedd. Bydd y pregethwr hefyd wedi pregethu ei bregethau Nadoligaidd, ac yn troi at themâu diwedd neu ddechrau'r flwyddyn secwlar. Ni fu fawr o le i ymwybyddiaeth o'r Adfent dyfu ymysg Anghydffurfwyr felly. Yn yr adran 'Yr Adfent a'r Geni', yn 'Caneuon Ffydd', y llyfr emynau newydd, carolau yw pedwar deg wyth o'r pum deg un o gyfansoddiadau ynddo, ac o'r tri emyn Adfent sy'n weddill – dim digon hyd yn oed ar gyfer un oedfa lawn arferol – yr wyf yn amau ai emynau Adfent iawn yw dau o'r rheini. (A oes eisiau galw Pwyllgor 'Caneuon Ffydd' i gyfrif, a sibrwd gair yng nghlustiau ein hemynwyr?)

Prin y newidia'r duedd hon lawer yn y dyfodol agos, ond mae cynnydd bach yn ymwybyddiaeth eglwysi Anghydffurfiol o'r Adfent. Bydd eu papurau enwadol bellach yn cynnig ffurfiau gwasanaeth ar gyfer adegau gwahanol o'r flwyddyn, a phan ddaw'r adeg briodol cynigiant oedfaon Adfentaidd. Gwn hefyd am eglwys Anghydffurfiol sy'n rhoi torch o gelyn a phedair cannwyll ynddi ar y bwrdd cymun yn oedfa fore'r Sul cyntaf yn yr Adfent – ac un fawr yn ei chanol. Yna cynnau un gannwyll y bore hwnnw, dwy yr ail Sul yn yr Adfent, ac yn y blaen, a chynnau'r un fawr mewn gwasanaeth ar noswyl y Nadolig. Mae'n dda cael rhyw elfen Adfentaidd yn y Suliau cyn y Nadolig i'n hatgoffa ni ein hunain bod rhai pethau mewn bywyd y collwn eu rhin os nesawn atynt heb baratoi ar eu cyfer, a bod y Nadolig – fel y Groglith a'r Pasg – yn un o'r rheiny.

Roedd y gair paratoi yn amlwg yn fy ngeirfa i'n blentyn. Nid coginio a wnâi mam, ond paratoi bwyd, byddai nhad yn paratoi drws ar gyfer rhoi paent arno, yn paratoi pâm ar gyfer y winiwns, a gwisgai ffrindiau i mi a berthynai i'r Sgowtiaid wregys ledr ac arni fwcwl mawr metel a'r geiriau *'Be Prepared'* arno. Ni wyddwn bryd hynny am beth y dylid bod yn barod, ar wahân i fynd i'r ysgol a'r cwrdd a'r gwely, ond gyda hyn dysgais am baratoi ar gyfer arholiadau, a gyrfa, a phregethu, a gwelwn bosteri yn fy rhybuddio i baratoi ar gyfer Dydd y Farn!

Mae llawer math ar baratoi yn ein byd bob amser. Math ar baratoi yw yswiriant, diwydiant ariannol mwyaf ein cymdeithas, a heddiw mae paratoi ar gyfer terfysgaeth yn un o brif ofalon llywodraethau'r Gorllewin. Ond mewn llu o faterion eraill mae llai a llai o baratoi erbyn hyn, a chawn lawer o bethau ar amrant nawr – newyddion, coffi, ffotograffau. *Instant* hyn ac *instant* y peth arall yw hi mwy a mwy. Gall hynny gynhyrchu agwedd meddwl tebyg i'r duedd wyddonol i ymddiddori dim ond mewn atebion, neu i duedd byd busnes i ymateb dim ond i'r *'bottom line'*, neu i duedd rhai i droi at gefn llyfr i weld y diwedd cyn dechrau ei ddarllen.

Yn ei *'Letters from the Country'* dywed Carol Bly fod gan ddynoliaeth ddwy dalent, un yw'r gallu i ddatrys problemau, a'r llall yw'r gallu i gael ein cyffroi'n ddwfn gan faterion mawr. Nid cyfrifoldeb clwb chwaraeon neu ddosbarth allanol yw ein paratoi i fod yn bobl a all gael ein cyffroi'n ddwfn gan bethau mawr, boed yn ddagrau plentyn neu dlodi byd neu harddwch machlud neu fywyd aberthol, ond dyna ran o waith eglwys. A beth mwy y dylai eglwysi baratoi Cristnogion i allu cael eu cyffroi ganddo na dyfodiad Iesu i'n byd.

Clywais ddweud gan gapten llong o Americanwr bod rhaid i forwr Americanaidd roi dwy saliwt wrth fynd ar fwrdd llong. Gŵyr pawb, meddai, beth yw'r saliwt gyntaf, saliwt i'r caban llywio yw hi – saliwt secwlar. Ond ychydig, meddai, a ŵyr beth yw'r ail saliwt, yr un tuag at gefn y llong. Yn nyddiau'r llongau hwylio cynhelid oedfa gymun bob diwrnod ar y bwrdd starn, ac yn y gwraidd saliwt yw'r ail saliwt i'r elfennau yn y cymundeb, saliwt sanctaidd yw hi. Prin bod eisiau i ni bryderu ynghylch rhoi saliwt secwlar ddigonol i'r Nadolig, ond mae'n llai sicr y rhown saliwt sanctaidd ddigonol iddo. Un ffordd o wneud hynny yw drwy baratoi ar ei gyfer.

Gellir paratoi'n ymarferol yn bersonol. Gyrru cardiau i rai unig neu a gollodd anwyliaid neu waith yn ystod y flwyddyn. Dewis anrhegion ymlaen llaw fel na bydd rhaid mynd yn ysglyfaeth i fyd masnach ar y diwedd. Gyrru cardiau a rhoi anrhegion i rai nad ydynt yn debyg o dderbyn llawer. Danfon cyfraniad sylweddol iawn i achos da.

Gallwn baratoi'n ymarferol yn deuluol. Trefnu pryd o fwyd ryw noson yr wythnos cyn y Nadolig. Gofyn i bawb o'r teulu, gan gynnwys yr ifanc, i ddod â rhywbeth, ac wedi bwyta, yn lle clirio'r llestri, dal i eistedd a siarad – nid yw'r ifainc heddiw'n clywed digon o siarad gan oedolion, nac oedolion siarad gan yr ifainc. Yna pawb, hen ac ifanc, i glirio gyda'i gilydd.

Gellid paratoi'n ymarferol yn eglwysig hefyd. Trefnu amser i bawb ddod ynghyd i addurno'r capel. Mynd i ganu carolau, mewn cartref i'r henoed, neu o gwmpas y gymdogaeth. A threfnu cinio Nadolig yn y festri i rai'n byw wrth eu hunain?

Ond mae paratoad personol a theuluol ac eglwysig o fath arall. Yn ôl Simone Weil, rhoi sylw llawn iddo yw'r ffordd i ymarweddu tuag at Dduw bob amser. Teitl Saesneg un o'i llyfrau yw *Waiting on God*. Ei deitl yn y gwreiddiol Ffrengig yw *Attente de Dieu* – ond nid peth goddefol yw a*ttente* iddi hi. Dywed Madeleine L'Engle mai amser i roi math arbennig o sylw i Dduw yw'r Adfent, a'r math o sylw sydd ganddi hi mewn golwg, yw gwrando. Gwahodda'r Beibl ni i baratoi ar gyfer meddiannu ysbryd y Nadolig drwy wrando ar yr hyn a ddywed Efengyl Mathew ac Efengyl Luc ynghylch personau a themâu'r Adfent.

# *Personau a Themâu'r Adfent*

# Herod

*'Wedi i Iesu gael ei eni ym Methlehem Jwdea yn nyddiau'r Brenin Herod, daeth seryddion o'r Dwyrain i Jerwsalem a holi, "Ble mae'r hwn a anwyd yn frenin yr Iddewon? Oherwydd gwelsom ei seren ef ar ei chyfodiad, a daethom i'w addoli." A phan glywodd y brenin Herod hyn, cythruddwyd ef,......' Mathew 2:1-3*

Gelwid brenin Palestina pan aned Iesu yn Herod Fawr i'w wahaniaethu oddi wrth feibion iddo a alwyd yn Herod ac i arddel hyd ei deyrnasiad (37 - 4 C.C.), ond hefyd i gydnabod agweddau o'i berson a'i frenhiniaeth. Yn ei anterth yr oedd yn ddyn trawiadol mewn sawl ffordd. Yn ôl yr hanesydd Joseffus yr oedd yn athletaidd a golygus, ac yr oedd brenhines yr Aifft, Cleopatra, dros ei phen a'i chlustiau mewn cariad ag ef. Bu'n un o gynghreiriaid Mark Anthony mewn rhyfel ac yr oedd Awgwstws Cesar yn ffrind iddo. Fe oedd yr unig un erioed a lwyddodd i gadw heddwch ym Mhalestina. Yr oedd yn adeiladydd o fri. Gallai fod yn hael hefyd – pan fyddai pethau'n anodd peidiai â chasglu'r trethi, ac mewn newyn mawr yn 25 C.C. defnyddiodd ei aur ei hun i brynu ŷd i'w bobl.

Eithr yr oedd gwasgfeydd mawr ar Herod. Unig yw bywyd brenin ar y gorau, ond at hynny gwaed Edomaidd oedd yn ei wythiennau ef, ac yr oedd hen, hen elyniaeth rhwng Iddewon ac Edomiaid. Nid etifeddu ei orsedd a wnaeth chwaith. Enillodd ymddiriedaeth y Rhufeiniaid mewn rhyfeloedd ym Mhalestina, a nhw, concwerwyr yr Iddewon, a'i gosododd ar ei orsedd.

Ceisiodd blesio'r Iddewon. Yn 20 C.C. dechreuodd godi teml

newydd yn Jerwsalem. Priododd Mariamne, merch o deulu Iddewig brenhinol, wyres John Hyrcanus o linach yr Hasmoneaid. Ond yr oedd ochr arall i'w ymwneud â'r Iddewon. Cyn iddo ef ddod yn frenin, yr un oedd y brenin a'r archoffeiriad, ond ni allai ef fod yn archoffeiriad am nad oedd yn Iddew, felly diraddiodd y swydd. Rhoddodd derfyn ar yr egwyddor etifeddol hefyd, gan ethol yr archoffeiriad ei hun, ac am dymor o'i ddewis ei hun, a bach o ddefnydd a wnaeth o'r Sanhedrin, corff llywodraethol yr Iddewon.

Yr oedd dinasoedd Groegaidd yn ei deyrnas, a Groegiaid oedd llawer o'i ddinasyddion, felly dilynai bolisi o blesio'r diwylliant Helenistaidd (Groegaidd) paganaidd o'i gwmpas hefyd. Sefydlodd gyngor brenhinol yn lle'r Sanhedrin a threfnai'r wlad yn ôl dulliau Helenistaidd. Mae hanes bod rhai Iddewon gwladgarol wedi cyfamodi â'i gilydd ar boen marw i rwystro ei bolisïau paganaidd.

Rhwng popeth, ni dderbyniwyd Herod gan ei ddeiliaid Iddewig, ac ymhen hir a hwyr tyfodd yn frenin drwgdybus. Âi o gwmpas Jerwsalem fin nos wedi gwisgo fel dinesydd cyffredin er mwyn clywed beth a ddywedai ei bobl amdano. Yn y diwedd gwnaeth o'i deyrnas wladwriaeth greulon. Mewn ymgais i ddileu llinach yr Hasmoneaid lladdodd Mariamne, ei wraig annwyl a hardd, ynghyd â'i feibion ganddi, Aristobulus ac Alecsander. Lladdodd ei mam hefyd, a'i fab hynaf, Antipater. Lladdodd eraill, nid yn unig heb eisiau, ond pan mai doethach fyddai peidio. Yn ei henaint carcharodd rai o ddinasyddion amlwg Jerwsalem a rhoi gorchymyn i'w lladd pan fyddai ef farw; ni alarai neb pan fyddai ef farw meddai, ond yr oedd yn benderfynol y byddai rhywrai'n wylo bryd hynny.

Ni allasai'r un cwestiwn ei gyffroi mwy felly na chwestiwn y seryddion – "Ble mae'r hwn a anwyd yn frenin yr Iddewon?" Pan sylweddolodd wedyn fod y seryddion wedi ei dwyllo drwy beidio â dod yn ôl a dweud wrtho ble y cawsant y baban, ac yntau wedi gofyn iddynt am wneud hynny, 'aeth yn gynddeiriog', a cheisiodd ladd y plentyn Iesu drwy roi gorchymyn i lofruddio pob bachgen ym Methlehem a'r cyffiniau o ddwyflwydd oed neu lai, gan ddwyn 'wylofain a galaru dwys' i'w teuluoedd am eu plant 'nad oeddent mwy'. (Yn ôl hen draddodiadau lladdwyd miloedd, ond yn ôl amcangyfrif cyfoes, prin y byddai mwy na thua ugain o fechgyn dwyflwydd oed neu iau yng nghylch Bethlehem a'r cyffiniau bryd hynny.)

Wrth ddweud yr hanes hwn dengys Mathew fod Iesu o ddechrau ei fywyd yn ailadrodd hanes ei bobl, gan i Pharo geisio lladd pob plentyn gwryw o blith yr Hebreaid a aned yn yr Aifft pan oedd Moses yn blentyn. (Mae Mathew mewn sawl man yn gweld Iesu fel Moses newydd.) Ond ni allai Mathew adrodd yr hanes fel pe na bai'n gwybod popeth a oedd i ddod ym mywyd Iesu hefyd, gan gynnwys ei groeshoelio. Felly edrychai ei adroddiad o'r hanes ymlaen yn ogystal ag yn ôl. Mae gelyniaeth Herod i'r baban Iesu'n rhagargoel o elyniaeth yr awdurdodau Iddewig crefyddol a gwleidyddol iddo a arweiniodd at y groes.

Efallai hefyd bod Mathew yn cyferbynnu ymateb llawen yr angylion a'r bugeiliaid a Simeon ac Anna a'r seryddion i eni Iesu, â'r ffaith mai ceisio ei ladd wnaeth Herod. Efallai ei fod yn cynnig Herod i'w ddarllenwyr yn enghraifft o berson nad oedd yn barod i groesawu'r baban Iesu.

Yr oedd yr ansicrwydd mawr a oedd yn rhan annatod o fywyd dyddiol Herod yn rhywbeth yr oedd wedi methu â dod i delerau ag ef, a thyfodd yr ansicrwydd hwnnw'n wendid mawr yn ei berson. Llywodraethai ei holl fywyd, gan gynnwys ei berthynas â phawb, pell ac agos, a chynhwysai hynny weld y baban Iesu yn fygythiad.

Rhan fawr o'n gallu ni i gyd i lawenhau yn nyfodiad Iesu i'r byd, yw'n rhyddid oddi wrth wendidau mawr a all beri ein bod yn gweld ei ddyfodiad yn fygythiad i ninnau. Paratoi i dderbyn y baban Iesu yn llawen yw paratoi'n personau i'w dderbyn. Ar ei orau nid gwaith dros nos yw hynny. Prin bod y Nadolig yn gomedd bendith i'r neb sy'n ei ddathlu ar amrant, ond mae'r fendith yn llawnach mae'n rhaid i'r neb sydd wedi ymbaratoi ei berson dros amser.

Mae'r Adfent felly'n ein gwahodd ni i ddeall ein hunain yn well, gan gynnwys yn arbennig adnabod ein gwendidau mawr (a phwy sy'n ddigonol i gael mwy nag un neu ddau o'r rheiny?) Gall dirnad ein gwendidau pennaf, sydd, fel yn achos Herod, yn ffynhonnell gwendidau eraill ynom, olygu dad-ddysgu ein syniadau gwaelodol amdanom ein hunain. Gall olygu gweld nad yw rhai o'n tybiaethau mwyaf hyderus am ein hunain yn ddim yn y diwedd ond ein creadigaethau dychmygol ni, math ar chwibanu meddyliol yn y tywyllwch, neu ebychiadau sy'n cuddio dryswch neu boen cudd.

Sonia rhai meddylwyr am yr hyn a alwant yn 'ffurf ar fywyd', sef rhyw batrwm o fyw a ymgroesodd dros amser ac sy'n tyfu allan o fywyd sy'n gymunedol. Cofiaf wasanaethu mewn priodas yr oedd y briodferch ynddi'n drysor na welwn ddim parodrwydd ym mherson y priodfab ar gyfer ei mwynhau'n llawn a'i gwerthfawrogi. Yr oedd ganddo wendidau mawr yn ei berson, fe dybiwn i, ond siaradai'n ddi-hid am bopeth, ac yr oedd ei ddywediadau'n croesddweud ei gilydd fel na allwn gynnal sgwrs adeiladol ag ef. A gwyddwn na pherthynai i unrhyw gymuned, na theulu na thylwyth nac eglwys, a allai ei arwain at agwedd gyson a phrofedig at fywyd, a'i gynorthwyo i gynnal yr agwedd honno.

Yn y tawelwch y tu mewn i ni a all ddilyn y dad-ddysgu sy'n gam cyntaf ar y ffordd i'n hadnabod ein hunain, gallwn ni sy'n Gristnogion elwa ar ein perthynas â'r gymuned Gristnogol. Gallwn gael ein hymffurfio ganddi, ein rhyddhau ganddi, ein paratoi ganddi i glywed y Gair sy'n annerch ein dyfnder fel negeseuydd o fyd arall, y Gair a fu dros dro yn waedd baban bach mewn preseb.

# *Ioan Fedyddiwr*

*'...er mwyn darparu i'r Arglwydd bobl wedi eu paratoi.'* Luc 1:17

Aaron brawd Moses oedd offeiriad cyntaf Israel, a chyfrifid ei ddisgynyddion yn offeiriaid. Hwy oedd yn gyfrifol am seremonïau'r deml yn Jerwsalem. Oherwydd bod cynifer ohonynt erbyn amser Iesu fe'u rhannwyd yn bedair adran ar hugain, a gwasanaethai pob adran am wythnos yn y deml ddwywaith y flwyddyn. Dosbarthwyd y gwaith drwy fwrw coelbren.

Ar offeiriad o'r enw Sachareias, a berthynai i adran Abeia, y disgynnodd y coelbren un diwrnod i losgi arogldarth yn y deml cyn offrymu'r aberth – tasg a ystyrid yn fraint fawr iawn ac a ddeuai i offeiriad fel arfer ond unwaith mewn oes. Un o ddisgynyddion Aaron oedd gwraig Sachareias hefyd, Elisabeth.

Y diwrnod y disgynnodd y coelbren arno, aeth Sachareias i gysegr yr Arglwydd i offrymu'r arogldarth, tua thri o'r gloch y prynhawn mae'n debyg, y nawfed awr yn ôl cyfrif yr Iddewon, sef 'yr awr weddi'. Yno ymddangosodd yr angel Gabriel iddo, a dweud wrtho y byddai ei wraig yn esgor ar fab – 'a gelwi ef Ioan'.

Dywedodd Gabriel wrth Sachareias y deuai geni Ioan â llawenydd iddo ef ac eraill, nad yfai win na diod gadarn (diodydd fel cwrw a seidr na wnaed o rawnwin), y llenwid ef â'r Ysbryd Glân yng nghroth ei fam, y byddai'n troi llawer yn ôl at yr Arglwydd, calonnau rhieni at eu plant, a'r anufudd i feddylfryd y cyfiawn, yn ysbryd a nerth y proffwyd Elias, a'r cyfan – 'er mwyn darparu i'r Arglwydd bobl wedi eu paratoi'.

(Mae nifer o adleisiau o'r Hen Destament yn yr hanes hwn. Patrymodd Luc gymeriadau Sachareias ac Elisabeth ar gymeriadau Abraham a Sara. Y tebygrwydd mwyaf rhyngddynt oedd bod Sachareias ac Elisabeth, fel Abraham a Sara, yn ddi-blant, a'u bod 'wedi cyrraedd oedran mawr.' Mae dylanwad y stori am Elcana a Hanna rhieni Samuel ar yr hanes hefyd, a thrwy Gabriel, a ymddangosodd ddiwethaf cyn hyn yn Llyfr Daniel, y mae adlais yma o broffwydoliaeth Daniel ynghylch cyflawnder yr amseroedd.)

Tyfodd Ioan i fod yn ddyn, ys dywed un awdur, *'who didn't fool around'*. Trigai y tu allan i fyd y ddinas a'i threfn, yn yr anialwch, cartref ysbrydion aflan – lle y cafodd Iesu ei demtio. Yno, heb bethau allanol a allai fynd â'i fryd, ymwrthododd â balchder drwy wisgo dillad o flew camel a gwregys o groen, a meistrolai ei gorff drwy fyw ar locustiaid a mêl gwyllt.

Yn enaid y gŵr hwn a brofodd ei hun yn ffwrnais yr anialwch digroeso, a ymddisgyblodd ei gorff a'i ysbryd er mwyn bod mewn cytgord â therfynau bywyd, tyfodd cred angerddol fod yna ddyfodiad wrth law na ellid ei ddisgrifio ond fel Duw'n ymbresenoli mewn dull newydd ymysg dynion. Ni wyddai beth fyddai ffurf yr ymweliad, ond yr oedd yn sicr y byddai'n mesur pawb yn ddiwahân, ac mai'r ymateb priodol iddo oedd paratoi ar ei gyfer.

Yn y cyfnod hwnnw dirywiodd crefydd boblogaidd ymhlith yr Iddewon i fod yn ddim ond defodau, a moesoldeb cyfreithiol – pethau fel, beth i'w wneud i fod yn bur ar gyfer gwyliau arbennig, a pha mor bell y gellid cerdded ar y Sabath heb dorri'r gorchymyn ynghylch ei gadw. Yr arbenigwyr ar yr atebion manwl ac aneirif i gwestiynau felly oedd yr ysgrifenyddion a'r offeiriaid. Yn y fath awyrgylch atseiniodd symlrwydd eglur neges y person rhyfedd, unig, Ioan Fedyddiwr, drwy'r parthau hynny fel utgorn.

Y cwestiwn mawr oedd, beth oedd bod yn barod. Yr oedd gan Ioan atebion. Heb flewyn ar ei dafod dywedai ei fod yn golygu cymryd cyfrifoldeb personol am baratoi yn hytrach na mynnu hawliau na chostient ddim – 'a phan welodd Ioan y tyrfaoedd oedd yn dod allan i'w bedyddio ganddo, dywedodd wrthynt: "Chwi epil gwiberod, pwy a'ch rhybuddiodd i ffoi rhag y digofaint sydd i ddod? Dygwch ffrwythau gan hynny a fydd yn deilwng o'ch edifeirwch. Peidiwch â dechrau meddwl dweud wrthych eich hunain, 'Y mae gennym Abraham yn dad', oherwydd rwy'n dweud wrthych y gall Duw godi plant i Abraham o'r cerrig hyn."'

Ond i ymholwyr o ddifrif, yr oedd ganddo atebion ymarferol. "Rhaid i'r sawl sydd ganddo ddau grys eu rhannu ag unrhyw un sydd heb grys, a rhaid i'r sawl sydd ganddo fwyd wneud yr un peth." Cysylltodd ei atebion â gwaith dyddiol pobl hefyd. Gwaith rhai Iddewon oedd casglu trethi oddi wrth eu cyd-Iddewon ar ran Ymerodraeth Rufain, a reolai'r wlad. Nid oedd wahaniaeth gan Rufain faint o elw a gymerai'r bobl hyn iddynt eu hunain, ac yr oedd llawer o orelwa. Pan ofynnodd casglwyr trethi iddo felly "Athro, beth a wnawn ni?" ei ateb oedd, "Peidiwch â mynnu dim mwy na'r swm a bennwyd ichwi." A phan ofynnai milwyr iddo, "Beth a wnawn ninnau?" atebodd, "Peidiwch ag ysbeilio neb trwy drais neu gamgyhuddiad, ond byddwch fodlon ar eich cyflog."

Dweud wnaeth Ioan, peidiwch â bod yn hunanol, ond rhennwch â'r anghenus, a pheidiwch â defnyddio'ch safle yng ngwasanaeth eich chwant eich hunan, ond meddyliwch am eraill, a pheidiwch â bod yn ymosodol wrth ymwneud ag eraill, byddwch yn barchus ohonynt, ac yn fodlon ar ddigon. Byddwch yn gymdogion a dinasyddion da, meddai, a byddwch yn bersonau da yn eich gwaith. Tra bo cynrychiolwyr swyddogol crefydd yn parablu ynghylch manylion, yr oedd y meudwy garw hwn yn cymell pobl i fod yn dda. A go brin na wyddent eisoes yn eu calonnau y dylent wneud y pethau y soniai Ioan amdanynt.

Pe dywedai Ioan hynny oll heddiw efallai na châi lawer o wrandawiad, o leiaf ymhlith Protestaniaid. Yn ôl Paul Holmer, cyn-Athro Diwinyddiaeth yn Iâl, gorchuddiwyd rhinweddau dynol gan y Diwygiad Protestannaidd, ac fe'u hesgeuluswyd gan feddylwyr Protestannaidd ers hynny.

Awgryma'r hanesydd eglwysig Martin Marty o Chicago, mai'r rheswm pam y bu ystyriaeth o rinweddau dynol at ei gilydd yn absennol o drafodaethau Protestannaidd, yw bod Protestaniaid wedi ofni y byddai rhoi sylw i rinweddau dynol yn tynnu sylw a gwerth oddi wrth y math ar gariad sy'n rhodd arbennig Duw. Yn wir, awgryma bod eu pwyslais ar ras a maddeuant Duw wedi arwain nid yn unig at dawelwch mawr ynghylch pob daioni dynol, ond hyd yn oed at wadiad bod y fath beth yn bod.

Gellir dod o hyd i gefnogaeth yn y Beibl i'r safbwynt hwnnw. Disgrifia Eseia (64:6) 'holl gyfiawnderau' dynol fel 'clytiau budron'. Yn ei lythyr at y Rhufeiniaid (7:19), dywed Paul – "Yr wyf yn cyflawni, nid y daioni yr wyf yn ei ewyllysio ond yr union ddrygioni sy'n groes i'm hewyllys." A phan alwodd rhywun Iesu'n dda, ei ateb oedd, "Nid oes neb da ond un, sef Duw" (Luc 18:19) – dywediad sy'n dal yn benbleth i esbonwyr. Ond nid yn aml y caniatâ'r Beibl i ni adeiladu darlun cyfan o fywyd ar un sail yn unig. Ochr yn ochr â'r safbwynt hwnnw mae llu o anogaethau ynddo i ni 'wneud daioni' hefyd, (Salm 37:3, Eseia 1:17, Luc 6:27, etc.)

Tybed a oes cyswllt rhwng yr anwybyddu hir gan Brotestaniaid o ddaioni dynol, a'r dybiaeth y mae cymaint o'n diwylliant poblogaidd cyfoes ni'n seiliedig arno, sef bod daioni'n anniddorol ac yn rhwydd, tra bod drygioni a thrais yn atyniadol ac yn her. Ond mae rhai eneidiau creadigol yn dweud yn wahanol. Enillodd y nofelydd Iris Murdoch lawer o wobrau, gan gynnwys *'The Whitbread Prize'* a'r *'Booker Prize'*, ond prin yr enillodd wobr mwy godidog na'r deyrnged a roddodd un beirniad llenyddol iddi wrth adolygu un o'i llyfrau; *'Murdoch has the unusual gift of being able to create good characters who are more interesting than evil ones, perhaps because she understands the difficult challenge of learning to apprehend what is real and the sheer amounf of energy, intelligence and courage that can go into being genuinely good.'*

Cymhellodd Ioan Fedyddiwr y rhai a ddaeth ato, i baratoi ar gyfer ymweliad newydd Duw â'i fyd, nid drwy ymgyrraedd at gredoau cymhleth anodd i'w dirnad, nid drwy ymarferion ysbrydol esoterig, na hyd yn oed drwy gyflawni gweithredoedd nad oeddent erioed wedi eu dychmygu, ond drwy wneud pethau da y gwyddent eisoes y dylent eu gwneud.

# *Angylion*

*'...anfonwyd yr angel Gabriel gan Dduw i dref yng Ngalilea o'r enw Nasareth, at wyryf oedd wedi ei dyweddïo i ŵr o'r enw Joseff, o dŷ Dafydd; Mair oedd enw'r wyryf.'* Luc 1:26,27

Yn hanes y creu yn ail bennod Genesis dywedir bod Duw wedi 'llunio' dyn. Cyfieithiad o air am grochenydd wrth ei waith yw 'llunio'. Ond erbyn hanes y creu yn y bennod gyntaf yn Genesis, sy'n ddiweddarach na'r un yn yr ail, bu cynnydd yn yr ymwybyddiaeth o'r pellter rhwng y Creawdwr a'r cread. Nid creu â'i ddwylo a wna Duw yno, ond drwy ei Air: 'Dywedodd Duw, "Gwnawn ddyn..."' Un o'r cyfryngau a groesai'r math hwnnw ar agendor oedd y proffwydi, un arall oedd angylion.

Wedi i nifer o'r Iddewon yn yr 8fed ganrif C.C. ddychwelyd o'r gaethglud ym Mabilon i'w gwlad ei hun, daeth proffwydoliaeth i ben am gyfnod, ac oherwydd hynny cafodd angylion le amlycach yn y grefydd Iddewig. Gwelwyd hwynt fel bodau personol, rhai ohonynt â blaenoriaeth ac enwau, megis yr archangylion Gabriel a Mihangel, yn dod o'r nefolion leoedd, i gyflwyno negeseuon yn bennaf. Yn iaith wreiddiol y Testament Newydd, Groeg, y gair am angel yw *'angelos'*, a golyga 'negeseuydd'. (Perthynas iddo yw'r gair 'efengyl', sy'n golygu neges da.)

Am ganrifoedd cafodd angylion le amlwg yn addoliad, diwinyddiaeth, emynyddiaeth, lluniau, ffenestri lliw a cherfluniau yr Eglwys Gristnogol. Ond yn y ddeunawfed ganrif, cafwyd yn y Gorllewin chwyldro meddyliol secwlar a elwid yr Oes Olau. Cefnodd hwnnw ar lawer iawn o'r gorffennol, a rhoddodd le canolog i reswm noeth. O ganlyniad, ystyriwyd angylion yn ffantasïau.

Erbyn y ganrif nesaf yr oedd y diwinydd Protestannaidd modern cyntaf, Friedrich Schleiermacher (1768–1834), yn cytuno bod y gred mewn angylion yn perthyn i gyfnod pan nad oedd dynoliaeth wedi datblygu, pan oedd deall pobl o fyd natur yn gyfyng.

Felly y credai llu o Gristnogion tan i feddylwyr Cristnogol canol yr ugeinfed ganrif, yr enwog Karl Barth yn eu plith, ysgrifennu am angylion ar sail Feiblaidd. Yn nhyb Barth perthynai angylion i fyd a chanddo ragdybiau gwahanol i ragdybiau ein cymdeithas ni, ond ni olyga hynny na chyfatebant i realiti fel y mae mewn gwirionedd. Iddo ef diwinyddiaeth di-Dduw fyddai un heb ddirgelwch, gan gynnwys diwinyddiaeth heb angylion.

Erbyn heddiw bu newid eto yn naws feddyliol y Gorllewin, gan gynnwys adwaith i gyfyngiadau rheswm noeth. Un o ganlyniadau hyn oedd y ffasiwn gymdeithasol a elwid 'Yr Oes Newydd'. Daeth siopau 'Yr Oes Newydd' yn amlwg ar strydoedd trefi Cymru, siopau'n gwerthu dillad ethnig, cardiau o ddoethinebau, meddyginiaethau organaidd, addurniadau o waith llaw, canhwyllau o bob lliw a llun ac arogl, sebonau 'naturiol', cardiau tarot, a llyfrau am ffenomenon a ddaethai'n boblogaidd iawn – angylion! Ond angylion 'newydd' nad oedd ganddynt wreiddiau yn yr un gorffennol anrhydeddus oedd y rhain, ac fe'u gwelwyd fel esboniad ar bob math o ddigwyddiadau ffortunus ym mywydau personol unigolion – digwyddiadau hunanol a bitw iawn yn aml!

Ymatebodd rhai meddylwyr Cristnogol i angylion 'Yr Oes Newydd' drwy ysgrifennu erthyglau am angylion yn y traddodiad Beiblaidd. Yn dilyn cyfnod hir o anwybyddu llwyr arnynt bron, ar wahân i sylw iddynt am gyfnod byr gan Barth a'i ddilynwyr, cafwyd ysgrifennu sylweddol ynghylch natur angylion yn ôl y traddodiad Beiblaidd.

Angel i ni heddiw yw creadur dynol mewn gwisg wen laes sy'n meddu ar adenydd – a'r adenydd sy'n dangos mai angel yw! Nid yw adenydd yn ymddangos yn gyfarpar afresymol i greaduriaid sy'n dod 'o'r nefoedd i lawr', ond diau i'w hadenydd gyfrannu at fethiant pobl yn yr Oes Fodern i ystyried angylion o ddifrif. Eithr ffenomenon a fenthycwyd oddi wrth grefyddau eraill yw adenydd angylaidd, a chynnyrch yr ysfa ddynol am fanylu mwy a mwy ar bopeth dan haul.

Ni amcana'r Beibl at fodloni ein hysfa esthetig a diwylliannol ac athronyddol ni i wybod sut olwg sydd ar angylion, beth yw eu natur a'u perthynas a'i gilydd, faint ohonynt sydd â pha wahaniaethau sydd rhyngddynt. Mae'r Beibl yn fwy ymataliol ac awgrymog a llednais ac o ddifrif yn eu cylch na hynny. Dywed fod gan geriwbiaid a seraffiaid adenydd. Ond corff anifail a chanddo ben dynol oedd cerwbiad, yn amddiffyn gatiau gardd Eden, ac yn rhan o addurn gorsedd Duw ar arch y cyfamod. Math ar sarff adeiniog oedd seraff, a chanddo dri phâr o adenydd yng ngweledigaeth Eseia yn y deml.

Eithr nid creadur adeiniog yw'r angel Beiblaidd! Ym mreuddwyd Jacob (Genesis 28:12) yr oedd ar yr angylion angen ysgol i ddringo i'r nefoedd ac i ddisgyn i'r ddaear, ac nid oedd gan angylion adenydd mewn arluniaeth Gristnogol tan y bedwaredd ganrif. Weithiau ymddangosant mewn ffurf mor naturiol fel na welir mai angylion ydynt: yn Genesis 19, pan ddaeth dau angel i Sodom, nid oes awgrym bod Lot wedi deall mai angylion oeddent.

Yn ôl un ysgolhaig Testament Newydd, Walter Wink, mae'r gair angel yn y Beibl yn un hyblyg na ddylid ei gyfyngu i ddosbarth arbennig o nerthoedd ysbrydol. Yn ôl Wink gellir ei gyfnewid â'r geiriau 'awdurdod' a 'nerth', a 'gallu' a 'tywysogaethau'. Awgryma ef y gall y gair olygu 'ysbrydolrwydd' unrhyw ddylanwad neu bŵer da.

Yn sicr, nid yn hanfod angylion yr ymddiddora'r Beibl, ond yn yr hyn a wnânt, a'r hyn a wnânt yn y Beibl yw ymddangos pan fo Duw'n ymwneud â'r byd mewn modd tyngedfennol. Mae'n arwyddocaol, er enghraifft, mae'r mannau yn yr efengylau lle y sonnir amlaf amdanynt yw yn hanesion geni Iesu a'i atgyfodi.

Gwêl y diwinydd Gabriel Fackre dair gwedd i'w hymddangosiadau sy'n cyfateb i dair gwedd o fywyd Iesu, y wedd broffwydol, y wedd offeiriadol, a'r wedd frenhinol. Un o'r mannau lle y gwelir y gweddau hynny yw yng ngweithgarwch angylion yn hanesion y geni.

(a) Yn broffwydol, datguddiant waith Duw. Yn Efengyl Luc ymddengys angel i Sachareia yn y deml i gyhoeddi genedigaeth Ioan Fedyddiwr, rhagflaenydd Iesu. Eto yn Luc cawn angel yr

Arglwydd yn cyhoeddi i'r bugeiliaid y newydd bod Gwaredwr wedi ei eni. Ymddengys Gabriel i Mair yn Efengyl Luc i ddweud wrthi y byddai'n esgor ar fab, ac yn Efengyl Mathew ymddengys angel i Joseff i'w hysbysu na ddylai ofni gymryd Mair ei ddyweddi feichiog yn wraig iddo, am fod yr hyn a genhedlwyd ynddi yn deillio o'r Ysbryd Glân.

(b) Yn offeiriadol, galwant am aberth. Rhan o aberth Cristnogion yw cynnig i Dduw yr hyn a eilw'r Llythyr at yr Hebreaid yn 'aberth moliant'. Ond golyga moliant aberthol roi ein hunain mewn cyswllt y gallwn ynddo, gydag eraill, ymgolli'n gyfangwbl yn ewyllys Duw. Cyhuddwyd eglwysi Cristnogol heddiw o golli holl naws 'aberth moliant' Beiblaidd drwy ddarostwng eu haddoli'n llwyr i amcanion dynol sy'n ymestyn o'r therapiwtig i'r gwleidyddol. Mae'r llu angylaidd a ymddangosodd i'r bugeiliaid 'yn nhawel wlad Jwdea dlos' yn canu 'Gogoniant yn y goruchaf i Dduw', yn dangos yr hyn y dylai 'aberth moliant' olygu i ni yn y lle cyntaf.

(c) Yn frenhinol, cysgodant a chadwant. Yn Efengyl Mathew dywedodd 'angel yr Arglwydd' wrth Joseff am gymryd y plentyn a'i fam a ffoi i'r Aifft, am fod Herod yn chwilio am y plentyn i'w ladd. Yn ddiweddarach, dywedodd 'angel yr Arglwydd' wrth Joseff am gymryd y plentyn a'i fam a dychwel i Israel gan fod y rhai a geisiai fywyd y plentyn wedi marw.

Yn ein hoes hygoelus ni, yr hyn sy'n bwysig i'w gofio yw, pan ymddengys angylion yn y Beibl, hyd yn oed i unigolion, gwnânt hynny nid i fodloni na mympwyon na dymuniadau dynol (fel y gwna 'angylion' yr Oes Newydd), ond er mwyn cyfrannu at ddod â rhyw wedd dyngedfennol o ewyllys Duw i ben.

Dengys artistiaid yr oesoedd yn y Gorllewin eu bod wedi deall hyn, drwy gofnodi mor fynych ymddangosiad angel ar un o funudau mwyaf tyngedfennol oll ymwneud Duw â dynoliaeth, ymddangosiad Gabriel i Mair pan gyhoeddodd wrthi y byddai hi'n esgor ar fab a elwir yn Fab y Goruchaf. Fel y dangosodd Hans-Ruedi Weber, cyn-Ymgynghorydd Beiblaidd Cyngor Eglwysi'r Byd, yn ei lyfr *'Immanuel'* (1984), deil artistiaid Cristnogol i ddarlunio'r digwyddiad hwnnw, ond bellach ar draws pedwar ban byd, ac yn idiomau eu diwylliannau hwy eu hunain, fel y gwelir ar glawr y llyfr hwn.

# Y Cyhoeddiad

*'Meddai'r angel wrthi "Paid ag ofni Mair, oherwydd cefaist ffafr gyda Duw; ac wele, byddi'n beichiogi yn dy groth ac yn esgor ar fab, a gelwi ef Iesu." '*

*'Meddai Mair wrth yr angel, " Sut y digwydd hyn, gan nad wyf yn cael cyfathrach â gŵr?" Atebodd yr angel hi, "Daw'r Ysbryd Glân arnat,..."'* Luc 1:30, 31, a 34,35.

Dywed y Beibl am ambell ddyn fod angel wedi cyhoeddi ei eni ymlaen llaw. Dywed hynny am Ishmael, mab Abraham oddi wrth Hagar morwyn Sara ei wraig, am Isaac, mab Abraham oddi wrth Sara, ac am Samson, mab Manoa a'i wraig.

Dilyna pob cyhoeddiad batrwm sy'n cynnwys pum cam. Mae angel yn ymddangos, caiff y person yr ymddengys iddo fraw, cyhoedda'r angel y geni, ni wêl y person sy'n gwrando synnwyr yn y neges, yna rhydd yr angel arwydd o'r hyn sydd i ddigwydd.

Ffyrdd yw'r cyhoeddiadau hyn o ddweud bod y personau y cyhoeddir eu geni wedi bod mor arwyddocaol yn hanes pobl Dduw fel bo'u bywydau wedi eu rhagarfaethu gan Dduw mae'n rhaid. Yr hyn sy'n arbennig yn hanes Luc o gyhoeddiad yr angel Gabriel i Mair am eni Iesu, yw'r gwahaniaethau rhyngddo a'r hanesion am angylion yn cyhoeddi geni rhai eraill o'i flaen. Rhydd Luc gyhoeddiad geni un o'r rheini, Ioan Fedyddiwr, yn union cyn rhoi'r hanes am gyhoeddi geni Iesu – ganed Ioan ond ychydig fisoedd cyn geni Iesu.

Heddiw, ni chysyllta llawer Ioan â'r Nadolig fel y gwnânt y bugeiliaid a'r seryddion. Mae 195 o gerddi yn y gyfrol 'Nadolig y

Beirdd' a olygwyd gan Alan Llwyd ac a gyhoeddwyd gan Cyhoeddiadau Barddas ym 1988. Detholiad yw sy'n cynnwys gweithiau beirdd mor amrywiol â Thwm o'r Nant, Rhys Prichard, Eifion Wyn, Waldo, Gwyn Thomas, a'r golygydd ei hun. Cyfeiria'r beirdd at gymeriadau arferol hanesion y Nadolig wrth gwrs, ond cyfeiria rhai ohonynt at Abraham, a chyfeiria un at gymeriad nas enwir yn hanesion y Nadolig, sef Anna, mam Mair. Ond ni sonia'r un ohonynt am Ioan! Eto, o'r 180 o adnodau yn nwy bennod gyntaf Mathew a Luc, y mae a fynno 13 ohonynt â'r bugeiliaid, 18 â'r doethion, ond 63 ohonynt – dros draean – â Ioan Fedyddiwr.

Yr oedd rheidrwydd ar y Cristnogion cynnar i esbonio'r berthynas rhwng Ioan a Iesu, oherwydd bu'r ddau berson carismataidd hyn o gwmpas Palestina fach ar yr un pryd am gyfnod, bu'r ddau farw'n ferthyron, ac nid yn unig credai rhai eu bod yn gydradd, ond credai rhai bod Ioan yn fwy na Iesu. Yr oedd gan Ioan ei ddisgyblion ei hun, a daeth Paul ar draws cymuned o'i ddilynwyr yn Effesus (Actau 19:1-7). Mae'n bosibl i rai o ddisgyblion Iesu fod yn ddisgyblion iddo ef yn gyntaf. Nid yw'n amhosibl fod Iesu ei hun wedi ei ddilyn am gyfnod, a'i fod am gyfnod wedi cyflawni gweinidogaeth wedi ei phatrymu ar ei weinidogaeth ef (Ioan 3:26). Fe a fedyddiodd Iesu wrth gwrs. Ni allai dilynwyr Iesu felly anwybyddu ei arbenigrwydd a'i fawredd, nac osgoi rhoi cyfrif ohono yn nhrefn pethau.

Wrth ymdrin â Ioan ar ddechrau ei efengyl, dangosai Luc fod yr Eglwys Fore yn ei ystyried yn rhan o'r newyddion da, yn rhagflaenydd i Iesu. Wrth roi hanes am gyhoeddiad ei eni gan angel, cydnabyddai hefyd ei fod yn ffigwr mor arwyddocaol fel bo ei eni yntau wedi ei ragarfaethu gan Dduw. Ond wrth roi'r hanes am y cyhoeddi hwnnw yn union o flaen ei hanes am gyhoeddi geni Iesu, gallai Luc ddangos drwy wahaniaethau yn yr hanesion, bod Iesu'n fwy na Ioan. I ni heddiw, nid yw'n fater o dragwyddol bwys i glywed bod Iesu'n fwy na Ioan Fedyddiwr, ond mae o fudd i ni weld y gwahaniaethau rhwng hanesion cyhoeddi eu geni, oherwydd drwyddynt dywedai Luc rai pethau ynghylch geni Iesu a ystyriai ef yn bwysig iawn.

Y gwahaniaeth dyfnaf oedd y gwahaniaeth rhwng cenhedlu

Ioan a chenhedlu Iesu. Dywedir wrthym bod Elisabeth, mam Ioan, yn ddi-ffrwyth, a'i bod hi a'i gŵr, Sachareias, mewn gwth o oedran. Ond yr oedd mam Samson hefyd yn ddi-ffrwyth medd y Beibl, ac yr oedd Sara wraig Abraham nid yn unig yn ddiffrwyth, ond hefyd yn rhy hen i gael plant. Yr oedd yr anawsterau y byddai'n rhaid i Dduw eu goresgyn er mwyn i Elisabeth feichiogi felly yn rhai yr oedd Duw eisoes wedi eu goresgyn mewn achosion eraill, ond nid oes yr un awgrym yn yr achosion hynny nad proses naturiol fyddai'r cenhedlu ei hun, hynny yw, y byddai gwryw yn rhan o'r broses. Eithr byddai Mair yn cenhedlu heb iddi adnabod dyn, yn cenhedlu drwy'r Ysbryd Glân. (Nid oedd athrawiaeth y Drindod wedi datblygu eto, a phrin y meddyliai Luc am yr Ysbryd fel person, cyfryngiad dwyfol mewn ystyr bras fyddai ganddo yma mae'n sicr.

Yr oedd dau gam i briodas Iddewig. Y cyntaf oedd dyweddïo, sef cytundeb ffurfiol gerbron tystion, ond heb gydfyw eto. Fel arfer digwyddai hyn pan fyddai'r ferch tua deuddeg i dair ar ddeg, ac ystyrid hwynt wedyn yn briod, yn gymaint â bod gan y gŵr hawliau dros y ferch, a gellid cosbi unrhyw ymyrraeth â'i hawliau rhywiol – fel godineb. Yr ail gam oedd i'r gŵr, tua blwyddyn yn ddiweddarach, gymryd ei wraig i fyw gydag ef yn ei dŷ ef ei hun. Yr oedd Mair wedi dyweddïo i Joseff, yr oedd hi'n briod yn gyfreithiol felly, ond nid oedd eto yn byw gyda Joseff, nid oedd 'yn cael cyfathrach â gŵr'.

Gweithred greadigol Duw ei hun drwy'r Ysbryd fyddai cenhedlu Mair felly. Nid oes sôn am genhedlu fel hynny o'r blaen yn yr un o'r hanesion eraill am enedigaeth a gyhoeddwyd gan angel, a dim ond yn yr hanesion am y geni y sonia Mathew a Luc am y cenhedlu hwn. Nid yw Paul yn sôn amdano chwaith, nac Efengyl Marc nac Efengyl Ioan.

Y gwirionedd y mae'n rhaid i ni beidio â'i golli, y gwirionedd y mae'r hanes am y cenhedlu gwyryfol yn fynegiant ohono, yw bod yr hyn a gredai Luc am berthynas Duw â Iesu hyd yn oed ar adeg ei genhedlu, yn un na allai'r defnydd cyffredin o iaith ei fynegi, ei fod yn galw am ddatganiad paradocsaidd megis un am genhedlu gwyryfol.

Mae dau wahaniaeth arall rhwng cyhoeddiad geni Ioan a

chyhoeddiad geni Iesu. I'w dad a oedd yn offeiriad y gwnaed cyhoeddiad geni Ioan, a gwnaed y cyhoeddiad iddo yn y deml yn Jerwsalem tra oedd yn llosgi arogldarth cyn offrymu'r aberth yno – cysylltiadau â'r gorffennol. Ond i Mair, i ferch gyffredin, y gwnaed cyhoeddiad geni Iesu, ac yn Nasareth y gwnaed hynny, tref nad oedd yr un disgwyl meseianaidd ynghlwm wrthi yn yr Hen Destament. Dyma ffordd Luc o gyfleu newydd-deb yr hyn a wnaethai Duw yn Iesu.

A'r gwahaniaeth olaf. Cyhoeddwyd geni Ioan, medd Luc, i ŵr (a gwraig?) a oedd wedi deisyf am blentyn, ond cyhoeddwyd geni Iesu i ferch wedi dyweddïo ond yn ddi-briod, nad oedd hi – yn fwy na Joseff – yn dyheu am faban, bryd hynny o leiaf. Dweud y mae Luc wrthym nad unrhyw ymateb hael a grasol i awydd dynol o fath yn y byd oedd geni Iesu, bod y cam a gymerodd Duw yn y geni hwn yn mynd y tu hwnt i ddyheadau dynol – rhyfeddod annisgwyl creadigaeth newydd Duw oedd yno o'r dechrau meddai.

# *Croesi Ffiniau*

*'Ei enw yw Ioan.'* Luc 1:63

Cymerwyd Ioan Fedyddiwr gan ei rieni i'r deml ar yr wythfed dydd wedi ei eni, i gael ei enwaedu yn ôl y gyfraith (Genesis 21:4) ac i gael ei enwi. Ysgrifennai Luc wedi i'r deml gael ei dinistrio yn y flwyddyn 70 gan y Rhufeiniaid o ganlyniad i wrthryfel Iddewig. Ystyriai rhai Cristnogion mai barn Duw oedd hynny, ond sawl gwaith cysyllta Luc ei gymeriadau â defodau'r deml i ddangos nad oedd gelyniaeth hanfodol rhwng y grefydd Iddewig a Christnogaeth, ond yn wir bod y naill yn arwain at y llall.

Daethai teulu a ffrindiau ynghyd ar yr achlysur i weld a chlywed y defodau. Y disgwyl oedd yr enwid y plentyn ar ôl ei dad, Sachareias, ond dywedodd ei fam Elisabeth mai Ioan fyddai ei enw. Protestiodd y teulu a'r ffrindiau a dweud wrthi nad oedd neb yn ei theulu yn dwyn yr enw hwnnw, a throesant at Sachareias a gofyn iddo pa enw yr hoffai ef ei roi ar ei fab. Ond ni allai Sachareias eu hateb.

Pan ddywedasai angel wrth Sachareias yn y deml un diwrnod, y genid mab i Elisabeth ei wraig, 'a oedd wedi cyrraedd oedran mawr', ac y gelwid ef Ioan, gofynasai Sachareias am brawf, ac oherwydd ei anghrediniaeth dywedodd yr angel wrtho y byddai'n fud hyd nes y digwyddai yr hyn a fynegodd yr angel. I ateb y cwestiwn a ofynnwyd iddo gan y teulu a'r ffrindiau felly, bu rhaid iddo ofyn am lechen i ysgrifennu arni mai Ioan fyddai enw'r bychan. Yn syth, medrai siarad. 'Bu trafod hyn oll ymhlith pawb a'u clywsai, a gofynnent, "Beth ddaw o'r plentyn hwn?"'

Mae rhai ysgolheigion Beiblaidd heddiw yn hoff o dynnu sylw at naws testun, ac mae naws arbennig yn yr hanes hwn. Naws cyffro yw. Nid bod cyrff yn mynd o un lle i'r llall ynddo, nid bod y cymeriadau ynddo'n brysio o fan i fan. Cyffroadau o fath arall sydd ynddo.

Mae symud ynddo a berthyn i fyd yr ysbryd: mae angel yn ymweld â Sachareias. Mae symud ynddo a berthyn i fyd y meddwl: Elisabeth yn sythweld yr enw a roddwyd i Sachareias gan yr angel i'w roi ar Ioan – o leiaf, ymddengys mai dyna'r hyn y bwriada Luc i ni ei gredu. Mae symud ynddo a berthyn i fyd emosiynau, o syndod teulu a ffrindiau at y cytundeb rhwng Elisabeth a Sachareias ynghylch enw'r plentyn, i'w rhyfeddod pan gafodd Sachareias ei leferydd yn ôl. Mae symud ynddo hefyd mewn agwedd: o lawenydd teulu a ffrindiau oherwydd geni'r plentyn, i'r rhagargoel o'i fawredd sydd ymhlyg yn y cwestiwn, 'Beth ddaw o'r plentyn hwn?'

Nid symudiadau arwynebol mo'r rhain, ond symudiadau dwfn, o un byd o sylweddau i fyd o sylweddau eraill – o'r dynol i'r dwyfol, o eiriau i chweched synnwyr, o weld y damweiniol i ymdeimlo â'r gwyrthiol, o fwynhau'r heddiw i fod yn benagored i'r yfory. Symudiadau ar draws ffiniau anweledig.

Croesi ffiniau yw un o nodweddion bywyd yn ein cyfnod ni. Ffiniau daearyddol, rhwng cymunedau ac ardaloedd a gwledydd a chyfandiroedd. Yn y dyddiau hyn o symud mawr, croesa llawer y ffiniau hyn byth a hefyd, wrth ymweld â theulu, wrth gymryd gwyliau, wrth gyflawni eu gwaith. Mae a fynno'r croesi ffiniau hyn â chyfathrebu a chyfleusterau teithio a masnach ryngwladol a datblygiadau gwyddonol, ac arweiniant at groesi ffiniau cymdeithasol, at ryng-briodas a sefydliadau plwralistaidd a phrofiadau traws-ddiwylliannol.

A dyna groesi ffiniau fel y newid mewn perthynas, perthynas athro a disgybl, perthynas gwrywod a benywod, perthynas prynwyr a gwerthwyr, perthynas dinasyddion a gwleidyddion, perthynas cleifion a meddygon, perthynas hen ac ifanc. A dyna'r croesi o'r ffiniau sy'n ganlyniad y gwrthryfel ôl-fodern yn erbyn cyfyngiadau'r deall, ac yn erbyn y rhannu o fywyd yn gelloedd twt y gall arbenigwyr ddedfrydu yn eu cylch heb ymhel â chyfanrwydd bywyd.

Mae ymdrin â ffiniau'n hen beth. Dywedodd Parry Williams yn un o'i ysgrifau iddo glywed ei nain yn dweud bod moch yn gallu gweld y gwynt! Sonia am dri achlysur pan adawodd ef ei hun ei gartref am le dieithr, gan wybod na fyddai yn ôl y rhawg. Bob tro, wedi mynd heibio'r fan na fyddai troi yn ôl wedyn – un tro wrth gerdded, dwywaith ar fwrdd llong, daeth awel i'w wyneb, sylweddolai i ba gyfeiriad y chwythai, a'r tro cyntaf bu bron iddo weld y gwynt, yr ail dro credai ar y pryd ei fod wedi ei weld, a daliai meddai i gredu'n ffyddiog iddo ei weld bron y trydydd tro.

Yn ei gerdd 'Cofio' ymwna Waldo â'r ffin rhwng ein hatgofion a phethau 'anghofiedig ar goll yn awr yn llwch yr amser gynt'. Eto, mewn sgwrs ddychmygol a luniodd gweinidog rhwng Duw ac athro mewn coleg diwinyddol, ynghylch addysg addas ar gyfer pobl sy'n cael eu rhoi naill ochr gan gymdeithas, dywed Duw, *'You who are so good with words do not tend to experience that which the less verbal have difficulty explaining.'*

Nid peth da yw pob croesi ffin. Mae rhai sylwedyddion heddiw'n nodi cynnydd mewn gerwinder bywyd yn y Gorllewin, sy'n ganlyniad croesi ffiniau confensiynau sydd efallai'n hen, ac efallai'n galw am eu croesi, ond mae gwneud hynny cyn darganfod ffiniau newydd addas i gymryd eu lle'n berygl. Mater i ymgymryd ag ef yn wyliadwrus ac yn gyfrifol yw croesi ffiniau weithiau.

Mae croesi ffiniau yn fater i grefydd er hynny. Un o lyfrau mawr yr ugeinfed ganrif oedd *The Idea of the Holy,* gan Almaenwr, Rudolf Otto. Yr elfen fwyaf angenrheidiol ac iwnifersal mewn crefydd meddai Otto, yw'r hyn a alwodd *'the numinous'*. Defnyddiodd diwinydd Saesneg linell yn *Prelude* Wordsworth i ddisgrifio un o nodweddion y *numinous – 'a dim and undetermined sense of unknown modes of being.'*

Rhown yr holl hanesion am eni Iesu yn Efengyl Mathew ac yn Efengyl Luc at ei gilydd, ac fe gawn gasgliad o *'unknown modes of being'* – Duw, yr Ysbryd, angylion, sêr, pobl o bell, yfory, a chasgliad o bersonau sy'n croesi ffiniau, yn cael profiadau sy'n ymestyn eu dynoliaeth, yn rhannol oherwydd ymyrraeth o'r tu allan. I Mathew a Luc yr oedd y croesi a'r ymestyn a'r ymyrraeth hwnnw yn fynegiant o'r cyfnewid y credent hwy a wnaed i'n byd drwy ddyfodiad y baban Iesu i mewn iddo.

Deil y Nadolig i allu gwneud hynny. Ar waethaf rhysedd dathliadau'r Nadolig heddiw, a phwysau pethau nad oes a fynnont o gwbl ag ystyr y Nadolig, bydd ysbryd llawer bob Nadolig yn croesi ffiniau personol, byddant yn fwy rhadlon a goddefgar i eraill nag arfer, byddant yn cofio pobl sy'n angof ganddynt weddill y flwyddyn, a bydd rhai'n ymdeimlo â'r gwrthgyferbyniad rhwng ein dulliau treisgar ni o ddelio â'n problemau personol a chymdeithasol a rhyngwladol, a thangnefedd y Tywysog a aned i ni. Bydd yna groesi ffiniau, ac mae ymwybod â'r croesi hwnnw, a disgwyl amdano, o hanfod paratoi am y Nadolig.

# *Addewidion Duw*

*'....a gelwir ef Immanuel, hynny yw, o'i gyfieithu, "Y mae Duw gyda ni" '.* Mathew 1:23

Mae ar bawb ohonom angen pethau y tu allan i ni y gallwn ddibynnu arnynt. Diolch i'r drefn – yn llythrennol – gallwn ddibynnu ar rythmau'r haul a'r tymhorau, ar ddisgyrchiant ac ar bwysedd. Mae arnom angen pobl y gallwn ddibynnu arnynt hefyd, i gynnal ynom yr hyder a'r callineb y mae arnom eu hangen ar gyfer byw'n effeithiol, ac os nad yw bywyd cymdeithas am fod yn anhrefn, rhaid wrth sefydlogrwydd deddfau a chyrff llywodraethol.

Mae arnom hefyd angen argyhoeddiadau a gwerthoedd ac ystyron y gallwn ddibynnu arnynt, er mwyn gallu gwneud penderfyniadau a dewisiadau doeth ynghylch pethau mawr. Yr ymchwil am y rheiny yw un o brif themâu ein bywydau ni i gyd.

Ni fu duwiau cynnar dynoliaeth yn help mawr yn yr ymchwil honno. Yn aml, duwiau mympwyol, plentynnaidd oeddent, yn fwy o broblem nag o ateb i broblemau, duwiau'n digio a gwylltio fel y mynnent – yn dal glaw yn ôl, yn danfon plâu. Y gorau i'w ddisgwyl ganddynt oedd y gallai aberthau a defodau eu perswadio i fod yn garedicach i'w dilynwyr.

Cam mawr ymlaen oedd dechrau canfod y duwiau mewn termau, nid o'r gwaethaf, ond y gorau y gellid meddwl amdano. Yn ein traddodiad Iddewig-Cristnogol ni, cododd eneidiau prin a fu'n allweddol ym mhroses y canfod hwnnw. Dynion oeddent a chanddynt athrylith ysbrydol, ynghyd â'r ddisgyblaeth i fod yn ffyddlon i'r athrylith honno. Galluogwyd hwynt gan y cyfuniad hwnnw i ddirnad nid yn unig mai un Duw sydd i'r holl greadigaeth, ond i adnabod agweddau dyrchafol i'w gymeriad. Yr eneidiau prin hynny oedd proffwydi'r Hen Destament.

Yr oedd i broffwydoliaethau'r rhain naws addewidion. Byddai un proffwyd yn darogan addewid, un arall addewid wahanol, un arall addewid newydd eto. Eithr nid addewidion digyswllt mohonynt, ond prosesiad o addewidion, yn cyflwyno'n gynyddol gynllun cynhwysfawr Duw ar gyfer ein byd.

Ysgrifennai Mathew yn yr 80au yn Syria i gymuned Gristnogol o Iddewon a Chenhedloedd. Yn Gristion Iddewig ei hun, credai fod gan Dduw gynllun ar gyfer y byd. Gwyddai y credai ei ddarllenwyr Iddewig hynny, ond dymunai i'w ddarllenwyr an-Iddewig gredu hynny hefyd. Felly yn nwy bennod gyntaf ei efengyl, cyflwyna agweddau o'r hanes am eni Iesu fel cyflawniad o bump o addewidion Duw a gyhoeddwyd gan ryw broffwyd neu'i gilydd.

Pan alwodd Herod ynghyd 'holl brif offeiriaid ac ysgrifenyddion y bobl' a holi ganddynt ble yr oedd y Meseia i gael ei eni, eu hateb oedd, "Ym Methlehem Jwdea, oherwydd felly yr ysgrifennwyd gan y proffwyd:..." (Micha.) Wedi i'r doethion ymweld â'r preseb, cymerodd Joseff y baban a'i fam a ffoi i'r Aifft, oherwydd proffwydwyd (gan Hosea) – "O'r Aifft y gelwais fy mab." Cyflawnodd Herod broffwydoliaeth (gan Jeremeia) pan laddodd fechgyn dan ddwy flwydd oed ym Methlehem a'r cyffiniau – 'Clywyd llef yn Rama, wylofain a galaru dwys; Rachel yn wylo am ei phlant, ac ni fynnai ei chysuro, am nad oeddent mwy'. Pan gymerodd Joseff ei deulu yn ôl i Israel, aeth a thrigo mewn dinas a elwid Nasareth, i gyflawni'r hyn a ddywedodd y proffwydi: "Gelwir ef yn Nasaread'. Ni cheir y cymal yna yn unman yn yr Hen Destament. Dywed Eseia11:1, 'O'r cyff a adewir i Jesse (tad y Brenin Dafydd) fe ddaw blaguryn, ac fe dyf cangen o'i wraidd ef;...'. Y gair Hebraeg am 'gwraidd' yw *'nezer'*, ac efallai mai chware ar y gair hwnnw yn llyfr Eseia y mae Mathew.

Â manylion y mae a fynno'r pedair 'addewid' yna, ond yr oedd un arall yn sail iddynt, sef honno a ddiffiniai berthynas Duw â'r Iddewon, a sonia Mathew am y bumed addewid hon hefyd.

Cafwyd Mair meddai, 'yn feichiog o'r Ysbryd Glân', ac â ymlaen, 'A digwyddodd hyn oll fel y cyflawnid y gair a lefarwyd gan yr Arglwydd trwy'r proffwyd (Eseia), "Wele, bydd y wyryf yn beichiogi, ac yn esgor ar fab a gelwir ef Immanuel"', ac ychwanega, 'hynny yw, o'i gyfieithu, "Y mae Duw gyda ni" '.

Ni sonia Mathew am yr enw Immanuel yn unlle arall yn ei efengyl, a diwedda'r paragraff drwy ddweud fod Joseff wedi galw ei fab yn Iesu. Hynny yw, nid yn yr enw Immanuel y mae diddordeb Mathew ond yn yr ymadrodd 'Duw gyda ni'. Nid uniaethu Iesu â Duw y mae, nid yw byth yn galw Iesu'n Dduw. Yr hyn a ddywed yw bod geni Iesu'n arddangosiad newydd ac arbennig o hen addewid Duw i fod gyda'i bobl – er mai pobl Dduw i Mathew wrth gwrs oedd y gymdeithas newydd Gristnogol, yr Eglwys. Beth felly a ddywed yr arddangosiad newydd hwn o Dduw fel baban am y modd y mae Duw 'gyda ni'?

Yn un peth, dywed nad fel un sy'n gefnogol i'r angen ynom ni i dra-awdurdodi, heb sôn am un sy'n cyfiawnhau unrhyw drais o'n heiddo, y mae Duw'n bresennol yn ein mysg. Awgryma ei fod yn ein mysg yn ffurf diniweidrwydd. Nid diniweidrwydd sentimental sy'n bell oddi wrth bob gwrthdaro a phoen, oherwydd mae yn y stori hen gadno'n lladd plant diniwed i amddiffyn ei safle ei hun, ac yn gwneud ffoaduriaid o deulu bychan. Diniweidrwydd pŵerus sy'n pwyso pawb yn y fantol sydd yma.

Dywed ymddangosiad Duw mewn baban hefyd nad yw Duw'n bresennol yn ein mysg fel rhiant maldodus sy'n gwarantu bywyd daearol cysurus, didrafferth i ni, ac sy'n paratoi '*unlimited caviar and trumpets*' i ni y tu draw i hynny. Pan oedd Margaret Thatcher yn teyrnasu, munud a hanner a gâi ei chydweinidogion i siarad mewn cyfarfod o'r Cabinet, a'r tu allan i'r Cabinet gallent fyw yn ei chysgod gan dadogi cyfrifoldeb am bopeth iddi hi. Ond pan ddaeth ei chyfnod hi i ben, rhaid oedd iddynt ymdopi â John Major, newyddian gwleidyddol ac arweinydd llai ymerodrol. Caent siarad am fwy o amser yn y Cabinet, a nawr disgwylid mwy oddi wrthynt mewn mannau eraill. Rhaid oedd iddynt sefyll ar eu traed eu hunain. I rai, meddai sylwebydd, nad oedd y blynyddoedd yn llywodraeth Thatcher wedi eu maethu '*to fighting weight'*, yr oedd y newid yn frawychus.

Dywed presenoldeb Duw yn ein mysg fel baban nad yw Duw'n bwriadu ein gwneud yn llwyr ddibynnol arno, yn rhai sy'n disgwyl i'r Beibl ateb pob cwestiwn i ni heb i ni orfod meddwl drosom ein hunain, neu'n rhai sy'n gweld gweddi fel blwch y gellid rhoi ceiniog i mewn iddo a chael ateb allan ohono i bob problem. Mae Duw sy'n dod fel baban yn Dduw sydd eisiau magu ei bobl i *'fighting weight'*, i fod yn bobl barod i addef gwendid a gofyn am gymorth, ond hefyd i fod mor annibynnol a chryf ag y gallant – hyd yn oed os bydd hynny'n frawychus weithiau.

Dysgodd Elizabeth Templeton, diwinydd o'r Alban, lawer ynghylch peidio â bod yn Dduw, meddai hi. Dysgodd hynny drwy fod yn fam mewn sefyllfaoedd lle mae'r awydd i gysgodi plentyn yn herio'r awydd i roi rhyddid iddo, neu mewn sefyllfaoedd lle mae'r awydd i lywio bywyd plentyn yn troi'n demtasiwn i'w lywodraethu, neu ar adegau pan fydd terfynau amser ac egni'n arwain at roi ymatebion rhanedig i bersonau bychain cyfain.

Ar y llaw arall, meddai, un o ryfeddodau bod yn rhiant yw deall maddeuant Duw yn well wrth i blentyn gynnig chi eich hunan yn ôl i chi bob bore drwy anghofio popeth am drafferthion ddoe, a disgwyl dim ond eich bod chi yno i fynd ymlaen heddiw eto, o'r newydd, â bod yn fam neu'n dad. Dengys yr arddangosiad newydd yn nhawel ddinas Bethlehem o hen addewid Duw i fod bob amser gyda'i bobl, fod Duw yn cynnig ein hunain yn newydd i ni yng ngwawr bob bore.

# *Perfformiad Tawel*

*'....Mair, ...ac yr oedd hi'n feichiog.'* Luc 2:5

Ysgrifennodd Isabel Anders, cyfrannwr i gylchgronau crefyddol, ddyddiadur Adfentaidd a gyhoeddwyd yn llyfr o dan y teitl *Awaiting the Child*. Yn ystod yr amser yr ysgrifennai, yr oedd hi ei hun yn disgwyl ei phlentyn cyntaf.

Cymhara'r broses o gynhyrchu ei dyddiadur ym mhreifatrwydd ei myfyrgell â'r broses o warchod yn ofalgar yr ymffurfio o'r baban yn guddiedig yn ei chroth hi, a disgrifia'r ddwy broses fel 'perfformiadau tawel'.

Gall yr ymadrodd 'perfformiad tawel' gasglu ynghyd ystod eang o brofiadau. Dyna'r prosesau mewnol yr awn drwyddynt nawr ac yn y man i asesu ein datblygiad ac i wneud dewisiadau i ddiogelu'n tyfiant. Gall hynny gynnwys yr ymdrech i wynebu beirniadaeth lem, i lywodraethu teimladau afiach, i feistroli arfer gwael, i drechu bwriadau angharedig, neu'r ymgais i agor allan safbwynt meddyliol cyfyng, a rhoi mwy o sylw i ddelfryd teilwng. Gwaith mewnol yw cymaint o'r hyn y mae'n rhaid inni ei wneud i greu ohonom ein hunain bersonau cyfrifol, adeiladol, glân.

Wedyn dyna'r paratoad ar gyfer rhyw ymddangosiad cyhoeddus: paffiwr yn ymarfer ar gyfer gornest, canwr yn dysgu darn, côr-feistr yn meistroli sgôr, athro'n paratoi gwers. Dyna'r gwaith sy'n dibynnu'n gyfangwbl ar gael ei wneud allan o olwg a chlyw pawb, gwaith y mae cyfrinachedd yn amod ei lwyddiant. Faint o drasiedïau o bob math a arbedwyd oherwydd cyfryngiad rhyw berson neu bersonau'n gweithio *'in camera'?*

Mae llu o fathau eraill o berfformiadau tawel wrth gwrs. Pa ddydd, yng ngorsaf Paddington yn Llundain, prynais docyn ar gyfer teithio ar yr *Underground*. Wedi dweud wrth y clerc i ble y mynnwn fynd, talu'r arian a chael tocyn ganddo, gofynnais iddo a allai fy nghyfeirio at y platfform iawn. Er bod rhes hir o bobl y tu cefn i mi, edrychodd i fyw fy llygaid fel pe na bai neb arall yn y byd ond y fi, a dywedodd wrthyf yn fanwl ac yn glir yn union yr hyn y mynnwn ei wybod, a hyd yn oed wedyn daliodd fy llygaid am eiliad neu ddwy iddo ef ei hunan fod yn sicr fy mod wedi ei ddeall. Nid oedd goruchwyliwr yn edrych dros ei ysgwydd, nid oedd yn sefyllfa y byddwn i'n debyg o roi cildwrn iddo, nid oedd ganddo'r amser hyd yn oed i dderbyn fy niolch, eto, nid oedd modd yn y byd y gallai fod wedi fy ngwasanaethu'n well. Perfformiad tawel.

Wedi marw fy nhad dysgais ei fod ef a mam ers blynyddoedd wedi rhoi swmyn o arian naill ochr bob Nadolig i brynu anrhegion, hanner ohono i brynu anrhegion ar gyfer eu plant a'u hwyrion, ond yr hanner arall ar gyfer rhai anghenus yn eu heglwys a'u cymdogaeth. Yna dosbarthu'r anrhegion hynny eu hunain – y wedd orau ar y rhodd efallai – heb ffanffer, heb ddweud dim am y cyfan wrth eu plant hyd yn oed. Perfformiad tawel.

Mewn pentref yr oeddwn yn byw ynddo ar un adeg, yr oedd gwraig nad oedd fyth mewn iechyd da, ac ar ben hynny a oedd yn gwbl ddall. Unig blentyn oedd hi ei hunan, ac un plentyn oedd ganddi hithau, ond trigai hwnnw ymhell i ffwrdd, a'i gŵr mwyn hi'n unig oedd wrth law i ofalu drosti. Un o'm hatgofion harddaf i gyd mewn bywyd yw'r atgof am ei ofal manwl, cyson, tyner ef drosti am flynyddoedd, y rhan helaethaf ohono yn y tŷ o ddydd i ddydd, allan o'r golwg wrth gwrs. Perfformiad tawel.

Flynyddoedd yn ôl, wedi i Brydain dros amser hir geisio cytundeb rhwng dwy wlad arbennig, cafwyd cytundeb yn sydyn, dros nos fel petai, a rhoddwyd y clod i gyd i wleidyddion amlwg. Ond gyda hyn dysgwyd mai i un diplomydd yn y Swyddfa Dramor yr oedd y clod yn ddyledus, dyn a oedd wedi ennill ymddiriedaeth y ddwy ochr, ac wedi trafod â nhw'n grefftus dros gyfnod. Nid oedd yn ddyn adnabyddus, ac felly yr arhosodd pethau. Perfformiad tawel.

Fe allwn beidio â chymryd y perfformiad tawel o ddifrif, a siawns y medrwn dwyllo rhai, ond y tebyg yw y bydd rhywun yn gweld canlyniad hynny ac yn deall. Gwrandawn un diwrnod ar ddyn ifanc yn canu'r piano yn ei gartref. Yr oedd y darn a chwaraeai'n un clasurol ac adnabyddus, a swniai i mi'n ddarn anodd i'w chware hefyd, ond bwriodd y dyn ifanc ati gyda brwdfrydedd a sêl anghyffredin. Enillodd fy edmygedd i'n sicr, er nad yw hynny o werth mawr gan cyn lleied y gwn i am fiwsig yn gyffredinol a'r piano yn arbennig. Ond wedi i ni adael y tŷ sylwais fod fy nghydymaith, a all ganu'r piano'n dda iawn, yn gwenu. Gofynnais iddo pam, a'i ateb oedd bod y dyn ifanc, er ei holl frwdfrydedd a'i sêl, wedi neidio dros rannau anoddaf y darn! Rhoddodd ei holl enaid i mewn i'r perfformiad cyhoeddus, ond gwelodd rhywun bod y perfformiad tawel wedi bod yn annigonol.

Weithiau, dim ond pan fo rhywbeth yn mynd o'i le y daw pwysigrwydd ambell berfformiad tawel i'r golwg. Ar daith mewn trên pa ddydd euthum heibio i fan lle lladdwyd nifer o bobl mewn damwain trên sawl blwyddyn yn ôl. Yr oedd adroddiad ar y ddamwain newydd ddod allan, yn beio dau o brif weithredwyr un cwmni. Yr oedd y ddau wedi cymryd gofal am y perfformiad cyhoeddus, wedi cael y trenau i redeg mewn pryd, wedi torri costau'r busnes, wedi gwella elw buddsoddwyr, ac yr oeddent wedi derbyn cymeradwyaeth am hynny, ond yr oeddent wedi anwybyddu nifer o anghenion sylfaenol diogelwch. Pe na baent wedi eu hanwybyddu, ni fuasent wedi cael y boddhad o wybod eu bod wedi arbed yr union fywydau a gollwyd, ac ni fuasent wedi cael dim diolch na chlod penodol am hynny. Mae hynny'n perthyn i hanfod perfformiad tawel weithiau.

Nid yw'r perfformiad tawel o ran ei natur yn cael y sylw a haedda, a gall hynny ein tueddu i fod yn ansensitif i'w bwysigrwydd aruthrol i ansawdd bywyd. Ond mae personau sy'n gydwybodol ynghylch perfformiadau tawel bywyd yn halen i'r ddaear.

Ni wyddom ddim am gyflwr Mair yn ystod y misoedd pan

oedd hi'n feichiog. A oedd hi'n sâl bob bore? A oedd pwysedd gwaed arni? A oedd hi'n gorfod gorwedd weithiau, neu'n aml? Ni wyddom ddim chwaith am ei gofal hi ohoni hi ei hunan yn ystod y cyfnod hwnnw, heb sôn am ei gwarchod hi o'r baban a oedd yn ymffurfio yn ei chroth hi. Yr hyn a wyddom yw iddi fodloni i'r broses, ac iddi, ar adeg yn hanes y byd pan oedd ffigurau camesgor a geni cyn pryd yn uchel, gario'i baban, ac esgor arno, yn ddiogel. Ond o gofio popeth arall hefyd a ddywed y Testament Newydd amdani, pe bawn i'n Bab a chennyf yr awdurdod i greu 'seintiau', nid wyf yn amau nag ystyriwn y cyfan yn ddigon o sail dros fentro cyhoeddi Mair yn nawddsant y rheiny sy'n gydwybodol ynghylch perfformiadau tawel bywyd!

# *Yr Achau*

*'Dyma restr achau Iesu Grist, Mab Dafydd, mab Abraham.'*
Mathew 1:1

Dechreua Mathew ei efengyl ag achau Iesu. Rhestr anniddorol ar yr wyneb – 'yr oedd Asa'n dad i Jehosaffat, Jehosaffat i Joram, Joram i Usseia,....' ac yn y blaen. Ond rhestr hynod o ddiddorol yw hon, ac wrth ddechrau ei efengyl â hi efallai fod Mathew'n ei ystyried hi fel cywair i bopeth sydd i'w dilyn. Wrth ei rhoi o gwbl, efallai ei fod yn dweud nad gweithred sydyn mo'r dechreuad newydd hwn, geni Iesu, ond diwedd proses hir o baratoi.

Geiriau cyntaf oll ei efengyl yn y Groeg gwreiddiol yw *'biblos geneseos'*, sef 'llyfr achau'. Ond perthyn *geneseos* i'r gair *genesis,* a digwydd hwnnw sawl gwaith mewn rhyw ffurf arno yn y rhestr achau hyn. Ffurf arno yw'r gair y tu ôl i'r ymadrodd 'yr oedd....yn dad i...'. Ffurf arall arno yw'r gair y tu ôl i'r gair 'cenedlaethau' yn yr ail adnod ar bymtheg, a ffurf arall arno eto sydd y tu ôl i'r gair 'genedigaeth' ar ddechrau'r ddeunawfed adnod. Mae'n bosibl bod Mathew'n defnyddio'r ffurfiau hyn ar *genesis*, enw'r llyfr cyntaf yn y Beibl, sy'n dechrau â hanes y creu, er mwyn awgrymu bod geni Iesu'n ddechrau newydd mor fawr, fel na ellir ei gysylltu ag unrhyw gychwyn arall ond creu'r byd.

Nodwedd annisgwyl yn y rhestr yw enwau menywod. Ymfalchïai Iddew yn ei dras, a hoffai ei hadrodd, eithr ni chyfrifai menywod ymhlith ei achau. Ond yn ogystal ag enwi Mair, enwa Mathew bedair menyw arall hefyd – Tamar, Rahab, Ruth, a 'gwraig Ureia' (Bathseba) yn achau Iesu. Ernes o'r pwyslais ar fenywod eto i ddod yn ei efengyl.

Oherwydd na chyfrifai Iddew rai nad oeddent yn Iddewon chwaith ymhlith ei achau, elfen annisgwyl arall yw nad Iddewon oedd tair o'r gwragedd hyn – Tamar, Rahab a Ruth, ac efallai nad Iddewes oedd Bathseba chwaith. Dyma ragflas gan Mathew o thema arall a fydd yn dilyn yn ei efengyl, sef y byddai Cenhedloedd yn ogystal ag Iddewon yn perthyn i bobl newydd Duw, i'r Eglwys.

At hynny, yr oedd y gwragedd hyn i gyd yn famau, ond yr oedd perthynas anarferol rhwng tair ohonynt a thadau eu plant. Wedi i ŵr Tamar farw, ac i'w frawd beidio â rhoi plentyn iddi yn ôl arfer y gymdeithas honno, twyllodd Tamar ei thad-yng-nghyfraith, Jwda, a thrwy hynny cafodd blentyn ganddo ef (Genesis 38). Putain oedd Rahab (Josua 2:1), ac wedi godinebu â'r brenin Dafydd oedd Bathseba (2 Samuel 11)

Priododd Ruth yr ail waith, ond nid oes sôn am afreolaidd-dra rhywiol yn ei hachos hi. Efallai mai'r hyn sydd yma yw'r neges Feiblaidd gyson nad yw Duw'n gwneud popeth yn barchus neu reolaidd fel y credwn ni y dylai ei wneud, a bod Mathew'n gweld hynny'n ateb i'r rhai a ddifenwai Mair am fod Cristnogion yn haeru iddi gael plentyn 'heb adnabod gŵr'.

Eithr nid ydym eto wedi cyrraedd prif neges y rhestr achau. Ychydig o achau Beiblaidd sy'n anelu at ddisgrifio tras fiolegol. Anelai rhai at brofi cysylltiad â theulu a llwyth, oherwydd yn y dyddiau hynny yr oedd rhaid wrth gysylltiad felly i allu byw. Anelai rhai eraill at brofi hawl rhywun i ryw statws, i fod yn offeiriad er enghraifft. Ond nid yr un o'r rhain yw prif fwriad y rhestr achau hyn.

Yn yr adnod gyntaf o'i efengyl, disgrifia Mathew Iesu fel mab Dafydd, ac yn y rhestr sy'n dilyn, olrheinia ei achau yn ôl at y Brenin Dafydd. Ei amcan wrth wneud hynny yw dangos bod Iesu'n perthyn i'r Iddewon. (O blith yr efengylwyr, Mathew yw'r athro, a dengys hynny yma drwy drefnu'r rhestr achau yn dair adran o bedwar enw ar ddeg, a thynnu sylw at hynny – er mai tri enw ar ddeg sydd yn y drydedd adran. Llythrennau a ddefnyddiai'r Iddewon am rifau. 'A', er enghraifft, neu *aleph* yn

Hebraeg, eu hiaith hwy, oedd un, 'b', neu *beth,* oedd dau, ac yn y blaen. Cyfanswm cytseiniaid ffurf Hebraeg enw Dafydd oedd pedwar ar ddeg!)

Moses oedd y person pwysicaf yn hanes Israel, ond Dafydd oedd piau calon y genedl. Gwaredodd ef Israel oddi wrth ei gelynion, a disgwylid i'w ddisgynyddion ar ei orsedd i wneud yr un peth. Pan ddaeth y frenhiniaeth i ben, yr oedd breuddwydion y genedl eisoes wedi eu clymu wrth ryw frenin eneiniedig yn y dyfodol, rhyw Feseia – gair sy'n golygu un wedi ei eneinio – ond yn y dychymyg Iddewig poblogaidd, cysylltwyd y freuddwyd am Feseia bob amser â Dafydd! Ef oedd *'the engine house of the Jewish imagination'*. Felly y mae hi o hyd – nid *'The Moses Hotel'* yw enw prif westy Jerwsalem heddiw, ond *'The King David Hotel'*"!

Yn yr un adnod ychwanega Mathew fod Iesu'n fab i Abraham hefyd. Yn Genesis 12:3 dywed Duw wrth Abraham "ynot ti y bendithir holl dylwythau'r ddaear". Drwy gysylltu Iesu ag Abraham yn ogystal â Dafydd felly, dengys Mathew fod Iesu'n perthyn i 'holl dylwythau'r ddaear' – hynny yw, i'r Cenhedloedd yn ogystal ag i'r Iddewon.

I eglwys yn cynnwys Iddewon a Chenhedloedd yr ysgrifennai Mathew. Hyd yn oed bryd hynny, yr oedd Iddewon ar wasgar drwy'r byd, yn elfen amlwg mewn dinasoedd mawr ymhobman. A rhwng yr Iddewon a'r Cenhedloedd yr oedd un o rwygau dyfnaf yr hen fyd – fel y deil i fod yn ein byd cyfoes yn aml. Yr oedd yn rhwyg mewn cylch o fywyd – crefydd – y mae pobl ynddo yn aml wedi eu gwahanu lwyraf. Ar y naill law, yr oedd gan Iddewon, o safbwynt eu hundduwiaeth aruchel a moesol, achos i edrych lawr ar y diwylliant Helenistaidd o'u cwmpas, a'i amldduwiaeth a'i anfoesoldeb. Ar y llaw arall, dirmygai'r Cenhedloedd gulni crefyddolder *'precious'* yr Iddewon. Esgorodd y gwahaniaethau crefyddol ar wahaniaethau diwylliannol a barodd fod y byd Iddewig a'r byd Cenhedlig weithiau mor amheus a drwgdybus o'i gilydd ag oedd yn bosibl.

Dymuniad Mathew oedd i'r ddwy garfan dderbyn ei gilydd, nid fel dieithriaid i'w goddef, ond fel rhai a chanddynt hawl i berthyn. Pennaf amcan ei restr achau oedd dangos bod lle cynhenid i'r ddwy garfan yn yr eglwys, bod derbyn ei gilydd a byw ynghyd yn wedd annatod o ddilyn Iesu, oherwydd yr oedd Duw wedi bwriadu hynny ymhell cyn i Iesu gael ei eni. Dywedai wrth yr eglwys yr ysgrifennai ati mai rhan o fwriad Duw drwy'r Meseia a ddisgynnodd oddi wrth Abraham a Dafydd, oedd dwyn pobl i berthynas iawn â'i gilydd, pa wahaniaeth, pa raniad, pa elyniaeth bynnag a'u cadwai ar wahân. Dywedai mai cymdeithas yn bod er mwyn pontio gwahaniaethau oedd yr Eglwys.

Gall rhai cysylltiadau yn ein bywydau fod yn gymharol rwydd, rhai rhyngom ni a'n hanwyliaid a'n cyfeillion efallai, heb fod angen gwasgfa gwŷs ddwyfol arnom, neu chwistrelliad o ras arbennig, i'w hyrwyddo. Ond gall cysylltiadau eraill yn ein bywydau fod yn anodd – yr unigolyn sy'n boen i ni, y cymar nad yw'n derbyn newid ynom, y rhiant sydd wedi ein cam-drin, y plentyn sy'n gwrthryfela, y cymydog lletchwith, y cyfaill sy'n bradychu. Gall cwmnïoedd o bobl achosi poen i ni – y gymdeithas sy'n edrych lawr arnom, y dieithriaid sy'n dra gwahanol i ni, yr ymfudwyr sy'n peryglu'n diogelwch neu'n gwaith neu'n cyflog neu'n cysur. A gall hynny oll esgor ar wead o gamddeall a rhwystredigaeth a dicter a chasineb, ac o ganlyniad batrymau a strwythurau cymdeithasol a chenedlaethol a rhyngwladol dinistriol.

Amcan Mathew yn ei fersiwn ef o achau Iesu (mae gan Luc yn ei drydedd bennod fersiwn arall), yw dweud wrth yr eglwys yr oedd yn ei hannerch, bod a fynno geni Iesu â'r berthynas rhwng ei haelodau Iddewig a'i haelodau Cenhedlig. Oni ehangwn ninnau y neges honno drwy wneud cyswllt rhwng y Nadolig a phob estroneiddio – rhwng du a gwyn, rhwng gwŷr a gwragedd, rhwng hen ac ifanc, yna gwamalu ynghylch y geni y byddwn ni.

Gallwn ddod i gyswllt â Duw wrth gerdded yn y goedwig, neu drwy fod yn anrhydeddus mewn cysylltiadau rhwydd, ond mae a fynno stori Iesu o'r dechrau â materion trymach, megis cefnu ar ragfarn, deall gwahaniaethau, derbyn rhai anodd, a bod yn oddefgar. Heddwch yw un o themâu mawr y Nadolig, ac ys dywedodd y diweddar Yitzhak Rabin pan oedd yn brif-weinidog Israel, "Â gelynion y gwnawn heddwch, nid â ffrindiau."

# *Caneuon*

*'Ac meddai Mair: "Y mae fy enaid yn mawrygu yr Arglwydd,...'*
Luc 1:46

*'Llanwyd Sachareias ei dad ef â'r Ysbryd Glân, a phroffwydodd fel hyn: "Bendigedig fyddo Arglwydd Dduw Israel...'* Luc I:67

*'Yn sydyn ymddangosodd gyda'r angel dyrfa o'r llu nefol, yn moli Duw gan ddweud: "Gogoniant yn y goruchaf i Dduw..." '* Luc 2:14

*'...cymerodd Simeon ef i'w freichiau a bendithiodd Dduw gan ddweud: "Yn awr yr wyt yn gollwng dy was yn rhydd, O Arglwydd." '* Luc 2:29

Darllenais mewn nofel o'r enw *'The Windsinger'* am ddyn a berthynai i un o lwythau'r Indiaid Cochion (neu'r Americaniaid Brodorol fel y geilw rhai ohonynt eu hunain nawr), ac a ymdeimlodd â galwad i gymryd swydd arweinydd yn seremonïau crefyddol ei bobl. Yr hyn y disgwylid iddo ei ddysgu wrth ymbaratoi ar gyfer y gwaith hwnnw oedd llu o ganeuon, caneuon ar gyfer digwyddiadau ac achlysuron o bob math, ar gyfer angladd neu briodas neu enedigaeth neu ddiolchgarwch am gynhaeaf. Drwy ganeuon y mynegai ei lwyth eu profiadau dyfnaf. Wedi iddo ymbaratoi, âi yma a thraw i ganu ei ganeuon, yn ôl y galw, a'r disgrifiad o'i swydd ymhlith ei bobl oedd, 'canwr caneuon'.

Yn nwy bennod gyntaf Efengyl Luc, mae cyffyrddiadau emynyddol yn y cyhoeddiadau o eni Ioan Fedyddiwr a geni Iesu

(1:13-17, 30-33), ond mae hefyd pedair cân benodol – cân Mair pan gyfarchwyd hi gan Elisabeth a oedd yn feichiog â Ioan Fedyddiwr – y mwyaf barddonol o'r pedair; cân Sachareias wedi i angel ddweud wrtho yn y deml y câi ef a'i wraig Elisabeth faban; cân yr angylion i'r bugeiliaid allan yn y wlad (y byrraf o ddigon); a chân Simeon pan welodd y baban Iesu yn y deml a'i gymryd ef yn ei freichiau. Gair mwy manwl na chaneuon am y rhain fyddai cantiglau, oherwydd nid oes mydr iddynt, er y gall fod iddynt rythmau naturiol.

Yn y 4edd ganrif cyfieithwyd y Beibl i'r Lladin, y rhan fwyaf ohono gan yr Eidalwr Jerôm. Gelwid y fersiwn hwnnw y Fwlgat (o'r Lladin *vulgata* sy'n golygu 'cyffredin', neu 'poblogaidd'), a hwnnw a ddefnyddid bennaf gan yr Eglwys yn y Gorllewin tan i'r Beibl gael ei gyfieithu i ieithoedd brodorol o ganlyniad i'r Diwygiad Protestannaidd yn yr 16eg ganrif. Ond gelwir y cantiglau yn Luc o hyd wrth air neu eiriau cyntaf eu ffurf yn y Fwlgat – y *Magnificat*, y *Benedictus*, y *Gloria*, a'r *Nunc Dimittis*.

Ganed Iesu, medd Joseph McFadyen, Athro Testament Newydd ym Mhrifysgol Glasgow slawer dydd, mewn môr o gân. Nid damwain oedd hyn, medd ysgolhaig arall, yn ysbryd mawl y bwriadai Luc i'w ddarllenwyr glywed ei hanesion am y geni. Ni ddechreuodd ein dull cyfoes *bel canto* ni o gynhyrchu llais yn y Gorllewin tan tua 1600, ac ni wyddom beth oedd dull canu yn nyddiau Iesu, ond yn sicr, nid 'rhyddiaith blaen' oedd cantiglau Luc!

Beth a olygai i ni heddiw ddathlu'r Nadolig yn ysbryd y cantiglau hyn? Gall y cantiglau eu hunain roi awgrymiadau i ni.

Yn gyntaf, mae caneuon o bob math yn cyfathrebu mewn ffordd wahanol i ffordd iaith bob dydd o gyfathrebu. Cofiaf wrando un prynhawn 'slawer dydd ar lond capel o lowyr yn canu 'O fryniau Caersalem...' mewn angladd, a rhyfeddu at allu'r cyfuniad cryf hwnnw o eiriau a nodau i gyffwrdd â dyfnderau cudd yn y natur ddynol a'u codi i'r wyneb. Mae gan gelfyddyd y gallu i chwalu'r amddiffynfeydd ynom sy'n ein cadw rhag profi rhai agweddau o fywyd, a thrwy hynny bydd yn ein rhyddhau i ymateb i fywyd cyfan mewn ffyrdd iachach a llawnach. Nid wyf yn amau na allai cantiglau Luc yn eu dydd gyffwrdd pobl mewn ffyrdd rhyddhaol.

Mae ym mhawb ohonom ddyfnderoedd sydd am ran helaeth o'n bywydau'n cael eu gorchuddio. Gall ofn rhag i ni fethu â gallu gofalu am ein hanghenion ein hunain ryw ddydd a ddaw, gwtogi ar ein haelioni wrth i ni gyfrannu at achosion da heddiw. Gall ystyfnigrwydd beri i ni ddal at y pleser o gasáu rhywun a droseddodd yn ein herbyn, ac i ohirio bodloni'r awydd gwell ynom i faddau. Efallai bod y cymwysterau sydd eu heisiau arnom i lwyddo yn ein gwaith dyddiol yn groes i'r rhai sydd eu heisiau arnom i fod yn wŷr a gwragedd a rhieni a ffrindiau da. Ond gwyddom ei fod yng ngallu'r Nadolig i'n gwneud yn fwy hael, yn fwy ystyriol, yn fwy maddeugar, ac un ffordd o'i ddathlu yw gadael i'w neges dreiddio ein hamddiffynfeydd personol a rhyddhau'r pethau gorau ynom.

Yn ail, byddai cantiglau Luc yn atgofus iawn i Iddewon a'u clywai yn nyddiau Luc. Mae ynddynt lu o gyfeiriadau at yr Hen Destament a fyddai'n eu hatgoffa o'u hanes fel pobl Dduw, hanes yr oedd eu hanes personol hwy wedi ei wreiddio ynddo. Mae brawddegau yn y *Magnificat* sy'n adleisio brawddegau a ynganwyd gan Lea gwraig gyntaf Jacob yn llyfr Genesis, mae brawddegau yn y *Benedictus* sy'n adleisio cymalau yn nisgrifiad Ail-Eseia o Was yr Arglwydd, ac nid yw'r rheiny ond dechrau'r cyfeiriadau at y gorffennol yn y cantiglau hyn. Yn wir, fe'u disgrifiwyd fel *'mosaics'* o gyfeiriadau o'r Hen Destament.

Gall y Nadolig fod yn amser atgofus i ninnau. Cofio y Nadoligau cyntaf, a'r rhai gorau, a'r rhai tristaf, a rhai mewn mannau annisgwyl os nad rhyfedd. Cofio anrhegion unigryw a roesom neu a dderbyniasom. Cofio pobl a oedd yn 'gwneud' y Nadolig i ni ar un adeg, ein plant pan oeddent yn fach, ein rhieni pan oeddem ni'n fach. Cofio'n fugeiliol yr un waith arbennig hon yn y flwyddyn am ffrindiau pell: cefais alwad ffôn o Awstralia wythnos wedi'r Nadolig diwethaf – am ryw reswm nid oedd Bill van de Meene wedi derbyn cerdyn Nadolig gen i, ac er na chysylltwn nawr ond adeg y Nadolig yr oedd ef eisiau gwybod a oedd popeth yn iawn yma!

Yn drydydd, ac uwchlaw popeth, math ar salmau mawl oedd cantiglau Luc. Dechreuasant eu rhawd efallai mewn cylch o

Gristnogion Iddewig cynnar a gynrychiolai dduwioldeb rhai a elwir yn Hebraeg yn *anawim*, pobl o isel radd, pobl nad oedd ganddynt rym o'u heiddo eu hunain – efallai yr eglwys dlawd gynnar yn Jerwsalem y dywed Luc amdani yn ei ail lyfr, Llyfr yr Actau (gweler Actau 11:29 – a Rhufeiniaid 15:25,26). Pobl oedd yr *anawim* yr oedd eu duwioldeb y gwrthwyneb i hunanddigonolrwydd a hyder rhai na ddangosai unrhyw angen am Dduw a'i gymorth, a lluniasant eu salmau ar gyfer eu defnyddio mewn addoliad i foli Duw am ei waredigaeth yn Iesu.

Un o'r llyfrau diwinyddol mwyaf blasus ar fy silff lyfrau i yw *'Praising and Knowing God,'* Bu ei awduron, Hardy a Ford (tad- a mab-yng-nghyfraith) o gwmpas llu o ganolfannau crefyddol o bob enwad a thraddodiad i geisio deall beth yw hanfod crefydd, er mwyn defnyddio hynny'n fynediad i mewn i'r llyfr. Eu dewis hwy yn y diwedd oedd mawl.

Mae mawl i Dduw yn agor yr enaid i adnabyddiaeth ohono meddent, ac mae'n ein cymhwyso ni i ddysgu amdano. Nid yw mawl i Dduw yn bell oddi wrth ganmol ein gilydd chwaith. Mae geiriau weithiau'n mynd yn chwyddedig ac yn dod yn rhy rwydd yn ein diwylliant ni, a gall hynny arwain at organmol. Ar y llaw arall mae adegau pan ddylai canmol ddod yn rhwyddach i ni nag y daw, adegau pan ddylem ei ollwng yn rhydd yn hytrach na'i ddal yn ôl.

Canmol yw gwerthfawrogiad anhunanol o werth neu gyrhaeddiad rhywun neu rywbeth arall. Gall olygu geiriau, ond gall hefyd olygu cilolwg, neu wên – ac weithiau, yr unig ganmol addas yw efelychu. Uwchlaw pob dim, canmol yw agwedd ysbryd, cymysgedd o haelioni a difrifoldeb, a'r gallu i ymryddhau oddi wrth yr hunan am sbel. Mawl iddo sy'n ei gwneud yn bosibl i ni adnabod Duw'n well, ble bynnag y dewisa Ef arddangos ei hun – hyd yn oed os mai preseb yw Ei ddewis.

# *Gwrth-droi Safleoedd*

*'...tynnodd dywysogion oddi ar eu gorseddau,*
*a dyrchafodd y rhai distadl;...'* Luc 1:52,53

Dywed pennod gyntaf Efengyl Luc wrthym fod yr angel Gabriel, pan ddywedodd wrth Mair y byddai hi, drwy ras Duw, yn geni plentyn, wedi dweud wrthi hefyd bod Elisabeth mam Ioan Fedyddiwr eisoes wedi cenhedlu a'i bod hi yn ei chweched mis. Er na sonia yr un o'r efengylwyr eraill am hynny, dywed Luc (1:36) fod perthynas deuluol rhwng Mair ac Elisabeth (dwy gyfnither oeddent yn ôl traddodiad diweddarach). Tynnai hynny Ioan ymhellach i mewn i'r cylch Cristnogol wrth gwrs, rhywbeth yr oedd Luc yn daer i'w wneud.

Aeth Mair, a drigai yng Ngalilea, i'r mynydd-dir, i un o drefi Jwda, ac i'r tŷ lle y trigai Elisabeth. Pan gyfarchodd Mair hi 'llamodd y plentyn' yng nghroth Elisabeth, llanwyd hi â'r Ysbryd Glân a llefodd â llais uchel, "Bendigedig wyt ti ymhlith gwragedd, a bendigedig yw ffrwyth dy groth."' Ymateb Mair i hynny, medd Luc, oedd canu'r *Magnificat* (46-55).

Am sawl rheswm, medd Raymond Brown, ni ddywedai unrhyw ysgolhaig difrifol heddiw mai Mair ei hun a gyfansoddodd y *Magnificat*. Darn parod yw, yr hiraf yn hanesion Luc am y geni. Seiliwyd ar weddi Hanna mam Samuel yn I Samuel 2. Tadogodd Luc y *Magnificat* i Mair oherwydd ystyriai hi yn gynrychiolydd y math ar dduwioldeb a'i cynhyrchodd hi – duwioldeb yr *Anawim* – y tlodion, yr isradd, y cleifion, y gweddwon, yr amddifaid.

Mae Judith Sanderson, Athro Hen Destament yn Princeton, yn ofni ein bod yn colli neges y *Magnificat* drwy ddychmygu Mair fel merch dawel, ddiymhongar, *'a sweet young thing who talked with angels in King James English'*, yn gwneud sylwadau dof megis "bydded i mi yn ôl dy air di", ac yn canu'r *Magnificat* mewn llais soprano mwyn fel pe bai'n ceisio cael baban mewn crud i gysgu. Er mwyn ymdeimlo â nerth y geiriau gwahodda Sanderson ni i ddychmygu Mair yn eu canu fel pe bai hi'n chwaer hŷn i Joan Baez, *'belting out'* y geiriau fel cân brotest, â golwg wyllt yn ei llygaid a dycnwch teimladol yn ei llais:

'Y mae fy enaid yn mawrygu yr Arglwydd,
A gorfoleddodd fy ysbryd yn Nuw, fy Ngwaredwr,
Oherwydd wele, o hyn allan fe'm gelwir yn wynfydedig...'

Ond y ddwy adnod nesaf sy'n mynegi'r agwedd grefyddol y dymuna Luc ei rhoi yng ngenau Mair, agwedd y cred ef sy'n addas i'w thadogi iddi, ac agwedd y mae Luc, yn anad un o'r efengylwyr, yn ei adael i lywio ei holl efengyl;

'Gwnaeth rymuster â'i fraich,
gwasgarodd y rhai balch eu calon;
tynnodd dywysogion oddi ar eu gorseddau,
a dyrchafodd y rhai distadl;...'

Yn ôl Brown eto, ystyr ysbrydol yw prif ystyr y geiriau hyn. Y balch eu calon yw'r rhai sydd, am nad edrychant i fyny at Dduw, yn edrych lawr ar eraill, a'r distadl yw'r rhai nad edrychant lawr ar neb am na chredant fod neb oddi tanynt. Felly nid mater syml o rannu dynoliaeth i'r da eu byd a'r pŵerus, sy'n ddrwg i gyd, a'r tlawd a'r gwan, sy'n dda i gyd, sydd yma. Mater o agwedd ac ysbryd sydd yma.

Neges Luc yw fod dyfodiad Iesu i'n byd yn arwydd bod yna wrth-droi wrth wraidd y cread, y caiff y balch eu gostwng, a derbynia'r gwylaidd fendith. Awgryma Sanderson mai ffordd arall i ni werthfawrogi'r math ar chwyldro y mae'r *Magnificat* yn ei glodfori yw drwy i ni osod ein hunain mewn sefyllfa y mae pobl yr edrychir lawr arnynt yn gyfarwydd ag ef, a gweld bywyd drwy eu llygaid hwy.

Un a wnaeth hynny oedd John Howard Griffin, dyn gwyn o

Tecsas a arbenigai mewn materion hiliol. Yn 1959 (cyn ymgyrchoedd Martin Luther King) gofynnodd i feddyg dywyllu ei groen, eilliodd ei ben, a bu'n bawdheglu a mynd ar fysiau a chysgu mewn gwestai tlawd ac ati am chwe wythnos, i ddeall beth oedd cael ei drin yn wahanol oherwydd lliw ei groen. Newidiodd y profiad ef, nid 'arbenigwr mewn materion hiliol' oedd mwyach, yr oedd wedi dysgu beth a olygai i edrych yn hir am doiled y gallai ef ei ddefnyddio, ac i gerdded ymhell i gael dŵr i'w yfed nad oedd 'i wynion yn unig'. Ysgrifennodd am ei brofiad yn '*Black Like Me*', llyfr a gyhoeddwyd yn 1961 ac a gafodd ddylanwad mawr.

Sonia Sanderson am gael ei herio gan ffrind anabl i dreulio diwrnod mewn cadair olwyn, nid yn unig i brofi'r anghyfleusterau, ond i weld sut mae eraill yn edrych lawr ar rai â nam arnynt. Sonia hefyd am Mariana, ffrind iddi yn dioddef o barlys yr ymennydd, a'i heriodd hi i dreulio pedair awr ar hugain heb ddefnyddio'r gewynnau sy'n dod â'r bawd a'r bys cyntaf ar y llaw dde at ei gilydd! Gwn innau am eglwys sydd, er mwyn helpu ei hieuenctid i ymdeimlo â bywyd y digartref, wedi trefnu iddynt dreulio noson mewn blychau cardbord ar ganol maes parcio – yng ngofal oedolion wrth gwrs. (Ai dulliau felly ddaw â'n hieuenctid i ddeall y ffydd yn well?)

Weithiau codwn gloddiau rhyngom a'n gilydd sydd yn ein gwahanu. Yn ddiweddar dangosodd menyw gerdyn i mi a gawsai drwy'r post y bore hwnnw – 'Fe'ch gwahoddir i ddigwyddiad eithriadol. Cyflwyniad i bersawr newydd – "*Privilege*"'. Wedi ei greu i wragedd anghyffredin. Y rhai a aned yn freintiedig. Y rhai sydd wedi ei ennill. Rhai sydd yn ei haeddu. Rhai y mae'r duwiau'n gwenu arnynt. Gwragedd mor ddawnus, mor hudolus, fel bo '*Privilege*' yn cael ei ddenu atynt. Yr ydych chi ymhlith y rhain yn sicr.' Mae'n amheus gen i a gafodd Mariana y gwahoddiad hwnnw. Mae geiriau o'r ansawdd yna'n rhwygo cyfanrwydd bywyd, yn ein rhwystro rhag cadw pob opsiwn ar ein dynoliaeth llawn yn agored, yn dymchwel mathau ar realiti y mae gan y Beibl lawer i'w ddweud yn eu cylch.

Athronydd Ffrengig a Phabydd yw Jean Vanier. Gwahoddodd ddau ddyn â nam meddyliol arnynt i'w gartref un diwrnod, a thrwy hynny gwelodd werth hanfodol pob person. Ar gefn y profiad hwnnw sylfaenodd *L'Arche*, mudiad nawr sydd â chanddo dros 80 o gymunedau i bobl felly ar draws y byd. Cynigiant fodel o sut i integreiddio pobl â nam meddyliol arnynt i'n byd modern.

Dyna'r math ar beth y mynnai Luc i Mair ddweud pan roddodd eiriau'r *Magnificat* yn ei genau. Y wraig sy'n cael ei churo gan ei gŵr, y claf o AIDS, yr anhardd, yr anabl, a phawb a all weld bywyd drwy lygaid fel eu llygaid hwy, y rheiny yn y diwedd a ddyrchefir yn nhrefn Duw. A pha ryfedd? Onid neges am y *'Role Reversal'* mwyaf a fu erioed yw neges y Nadolig?

# *Sanctaidd Nos*

*'...dyma angel yr Arglwydd yn ymddangos iddo mewn breuddwyd,...'* Mathew 1:20

*'...gwelsom ei seren ef...'* Mathew 2:2

*'Yna cododd Joseff, a chymerodd y plentyn a'i fam gydag ef liw nos, ac ymadael i'r Aifft.'* Mathew 2:14

Ysgrifennodd y digrifwr Americanaidd Garrison Keillor *libretto* ar gyfer opereta o'r enw *'Why Evil Has Been Given Such A Bad Name'*. Cafodd sylweddau dipyn llai haeddiannol na drygioni enw drwg, ac yn eu plith y nos, a thywyllwch.

Pan fynnodd yr Aelod Seneddol Anne Widdecombe ddifenwi Michael Howard, cyn-arweinydd y Blaid Geidwadol, dweud wnaeth hi fod 'rhywbeth o'r nos' yn ei gylch. Gall naws condemnio fod i'r gair tywyllwch hefyd, fel yn – 'tywyllu cyngor' a 'Yr Oesoedd Tywyll'. (Mae'r un peth yn wir am 'dduwch'. Pan geisiodd pobl dduon yr Unol Daleithiau argyhoeddi pawb yn chwedegau'r ganrif ddiwethaf bod du yn hardd, un broblem oedd gwedd negyddol y gair yn Saesneg –*'black looks'*, *'blacklist'*, *'blackmail'*. Cyhoeddwyd geiriadur Saesneg bellach yn cynnig geiriau yn lle rhai sy'n rhoi pobl mewn blychau ac yn eu hanafu, ac un awgrym ynddo yw na ddylai pobl wynion ddefnyddio tywyll a du yn ansoddeiriau ag iddynt oblygiadau moesol negyddol.)

Ychydig o sylweddau a ystyriwn ni'n negyddol sydd heb

unrhyw oblygiadau positif o gwbl iddynt. Nos, a thywyllwch, yw cefndir llythrennol llawer o'r drwg yn ein byd, ond mae iddynt weddau eraill hefyd. I fwyafrif mawr creaduriaid y ddaear mae'r nos yn rhan anhepgor o rythm bywyd, adeg ymneilltuo a gorffwys yw, ac i'r wadd a'r ystlum y nos yw'r dydd. Mae tywyllwch yn angenrheidiol i ddatblygu ffilmiau, i hadau egino, i glywed tylluanod. Dywed yr athronydd Rubem Alves am adeg pan edrychai ar ei waith fel dwyn goleuni at ei bwnc, ond nawr meddai, caiff ei gyfareddu gan dywyllwch fel tywyllwch y goedwig yng ngherdd Robert Frost, *'Stopping by Woods on a Snowy Evening'*.

Ein tuedd ni yw gorsymleiddio a gwastatáu bywyd, ond adlewyrcha'r Beibl ei gymhlethdod a'i amwysedd. Gwna'r hanesion am eni Iesu hynny ynghylch y nos a thywyllwch. Fe'n hatgoffant dair gwaith, nad pethau negyddol, drwg ydynt bob amser, oherwydd hwy yw amodau rhai digwyddiadau allweddol yn yr hanesion.

(1) Yn y nos a'i thywyllwch y breuddwydiwn, ac mae breuddwydio'n bwysig yn hanes y geni. Pan gafwyd Mair mam Iesu yn feichiog, cyn iddi hi a'i dyweddi Joseff ddod at ei gilydd, penderfynodd Joseff, medd Mathew, ei gollwng ymaith yn ddirgel, ac mewn breuddwyd yr ymddangosodd angel yr Arglwydd iddo a dweud wrtho, "Joseff fab Dafydd, paid ag ofni cymryd Mair yn wraig i ti, oherwydd y mae'r hyn a genhedlwyd ynddi yn deillio o'r Ysbryd Glân."

Prin y rhydd y mwyafrif ohonom heddiw y math ar goel ar freuddwydion ag a wnâi pobl mewn oesoedd a fu. Dyna ran o effaith y meddwl gwyddonol arnom. Eto, astudiodd gwyddoniaeth ei hun freuddwydion. Cred rhai mai *The Interpretation of Dreams* (1900) oedd gwaith pwysicaf y seicolegydd Freud.

Gellir haeru rhai pethau ynghylch breuddwydion yn hyderus. Weithiau dywedant wrthym am bethau sy'n ein poeni. Cofiaf i mi unwaith gael cyfres o freuddwydion â naws niwrotig iddynt a ddywedai'n glir wrthyf fod fy seici'n mynd yn garpiog, fy mod i'n gwneud gormod a bod eisiau pwyllo arnaf. Breuddwydiais yn ddiweddar am fater y bydd rhaid i mi wneud rhywbeth yn ei gylch gyda hyn, ond mae breuddwydio amdano'n awgrymu ei fod yn fy mhoeni mwy nag a wyddwn, a'i fod yn dwyn tawelwch meddwl ac egni oddi arnaf.

Gall breuddwyd fod yn greadigol. Ysgrifennais emyn mewn breuddwyd un tro, a phan ddeffrois, fe'i adroddais, dau bennill, air am air. Gan mor sicr yr oeddwn felly fy mod yn ei wybod euthum yn ôl i gysgu heb ei gofnodi, ond pan ddeffrois yr eildro ni chofiwn yr un gair ohono. Edifarheais wedyn am beidio â'i gofnodi wrth ddeffro y waith gyntaf, yn enwedig o gofio mai dim ond un emyn arbennig (*'Abide with me...'*) a wnaeth ddyn enwog o Francis Lyte – er iddo ysgrifennu rhai eraill da. Mae tystiolaeth hefyd y gall cwsg gyfrannu at greadigrwydd o fath arall. Siawns na chawsom i gyd y profiad o fynd i'r gwely'r nos a phroblem yn ein poeni, a deffro'r bore a chael bod y broblem wedi ei datrys yn ein meddwl.

Mae gan ddynoliaeth gyfan ei breuddwydion. Soniai'r diweddar Alwyn D. Rees am ddyn a âi o gwmpas yr Almaen yn y 19eg ganrif yn perfformio dramâu byrion addysgol. Yn un yr oedd dyn ar ei liniau'n edrych am sofran o dan lamp. Daeth plismon heibio a'i helpu. Ymhen amser gofynna'r plismon iddo, "Wyt ti'n siŵr mai yma y collaist ti'r sofran?" "O na", ateba'r llall, a chan gyfeirio at gornel tywyll ar y llwyfan, dywed, "Draw fan yna y collais ef". "Wel pam wyt ti'n edrych fan hyn?" gofynnodd y plismon. A'r ateb a gafodd oedd, "Oherwydd mai fan hyn mae'r golau." Y neges oedd, medd Alwyn Rees, os mai yn y tywyllwch (hen chwedlau, mythau ac ati) y collodd dynoliaeth rai o'i breuddwydion gorau, ni wiw iddi chwilio amdanynt yn y goleuni (gwyddoniaeth). Os am eu hadennill, rhaid mynd i'r tywyllwch i chwilio amdanynt.

(2) Yn y nos a'i thywyllwch y gwelwn y sêr, a gweld seren a'i dilyn a arweiniodd y seryddion at y baban Iesu. Cofiaf gerdded hewl gul heb oleuadau arni yng nghefn gwlad Sir Benfro un noson fel y fagddu, a rhyfeddu at ddisgleirdeb y sêr. 'Golau arall yw'r tywyllwch, i arddangos gwir brydferthwch, teulu'r nefoedd mewn tawelwch....' Gall goleuadau'r ddinas a'r dref guddio'r sêr oddi wrthym heddiw, a gwna mapiau a chwmpawd a radar ni'n annibynnol ar eu harweiniad fel na fu'r un genhedlaeth o'n blaen.

Ond mae sêr ffigurol hefyd, a nos a thywyllwch bywyd a bair i ni eu gweld hwythau. Nos afiechyd, tywyllwch siom ac anobaith, y nhw weithiau a'n ceidw rhag bod yn bersonau arwynebol, ac a'n tywys at wirioneddau a sylweddau llachar. Dywedodd Solzhenitsyn y nofelydd Rwsaidd mai pan orweddodd ar wellt pwdr mewn gŵlag y synhwyrodd ynddo'i hun y cyffro cyntaf o ddaioni. "Maethais fy enaid mewn carchar, a dywedaf, 'Bendith i ti, garchar, am fod yn rhan o'm bywyd i.'" Gall nos a thywyllwch bywyd ddysgu pob un ohonom mor fregus yr ydym, pwy yw'n ffrindiau, a beth yw'n dewisiadau pwysig.

(3) Gall nos a'i thywyllwch fod yn gysgod, ac mae'r cysgod hwnnw eto'n rhan bwysig o hanes y Nadolig. O dan gysgod nos a'i thywyllwch y ffôdd Joseff a Mair â'r baban Iesu i'r Aifft oddi wrth Herod. Faint eraill o bobl fu'n ddiolchgar am dywyllwch y nos? Yr oedd llu ar faes y gad yn y Rhyfel Byd Cyntaf mae'n rhaid, pan wyddent y byddai gorfod iddynt, gyda'r wawr, adael diogelwch y ffos a wynebu magnelau'r gelyn, yn gweddïo am i'r nos a'i thywyllwch bara byth!

Pan fyddwn innau 'slawer dydd eisiau trafod ambell bwnc gydag un o'm plant, yr amser a'r lle gorau weithiau oedd wrth i ni deithio mewn car – yn y nos! Tywyllwch fel tywyllwch y gyffesgell, y tywyllwch sy'n cuddio'r wyneb ac a all drwy hynny wneud agor ein calonnau'n haws. Gall tywyllwch y nos fod yn fodd i ni gael ymgom werthfawr â'n hunain o dro i dro. Nid wyf yn amau na châi pawb ohonom fendith o eistedd o bryd i'w gilydd yn hir ac yn dawel yn y tŷ mewn tywyllwch.

Adnod y mae'r meddwl Cristnogol wedi ei chysylltu o'r dechrau â dyfodiad Iesu i'n byd yw honno lle y dywed y proffwyd Eseia, 'Y rhai a rodiasant mewn tywyllwch a welsant oleuni mawr.' Y rheiny a baratôdd eu hunain drwy wynebu nos bywyd a'i thywyllwch a all weld orau goleuni neges y Nadolig.

# Y Nadolig

Yn hanner gogleddol y byd cyll yr haul ei nerth yn y misoedd sy'n rhagflaenu Rhagfyr 21, y diwrnod pan fo'r haul ar ei wannaf. O'r diwrnod hwnnw ymlaen mae'n atgyfnerthu, fel pe bai wedi ei aileni. Yn 274 O.C. dewisodd yr Ymherawdr Awrelian Ragfyr 25 yn ddiwrnod dathlu pen-blwydd yr haul.

Ni ddywed y Testament Newydd ar ba ddiwrnod na pha ddyddiad y ganed Iesu, ond gwyddom i'r Nadolig gael ei ddathlu yn Rhufain ar Ragfyr 25 o leiaf mor gynnar â'r flwyddyn 336. Yr hyn a wnaed oedd defnyddio'r dyddiad a ddefnyddid eisoes i ddathlu pen-blwydd yr haul. Mae Cristnogion erioed wedi benthyca a bedyddio arferion a thraddodiadau o'r diwylliant o'u cwmpas, drwy roi iddynt gynnwys Cristnogol pan fo cyfiawnhad dros wneud hynny. Efallai mai rhan o'r cyfiawnhad dros ddefnyddio pen-blwydd yr haul yn ben-blwydd Iesu oedd bod Cristnogion o'r dechrau weithiau'n cyfeirio at Iesu fel 'Haul Cyfiawnder'.

Dathlwyd pen-blwydd yr haul drwy addurno tai â gwyrddni a goleuadau, a rhoi anrhegion i'r plant a'r hen. Cymerodd Cristnogion yr arferion hyn hefyd drosodd yn ddathliad o'r Nadolig. O'r bedwaredd ganrif ymlaen ymdreiddiodd llwythau Almaenig i mewn i ganol Ewrop a Gâl a Phrydain, a dod â thraddodiadau o fwydydd arbennig a chyfeddach a choed pinwydd, symbolau o gynhesrwydd a bywyd a ystyrid yn addas i stori'r Nadolig. (I'r Piwritaniaid cynnar yr oedd gwreiddiau paganaidd rhai o'r arferion hyn yn rheswm arall – yn ychwanegol at y ffaith nad yw'r Beibl yn dweud ar ba ddiwrnod neu ddyddiad y ganed Iesu – dros beidio â dathlu'r Nadolig.)

Ers canol y 19eg ganrif daeth dathlu'r Nadolig yn fwyfwy poblogaidd a masnachol yn gyffredinol, fel bod ein cymdeithas bellach yn symud yn gyflym tuag at Nadolig heb ynddo unrhyw elfennau Cristnogol, gŵyl sy'n cynnwys dim ond cymysgedd o elfennau sy'n dod o'r tu allan i'r ffydd Gristnogol, yn eira a robin goch a phlant yn chware a chelyn a boncyff a gwyddfid.

Gan nad yw'r gymdeithas o'n cwmpas yn fawr o help i ni mwyach i roi blaenoriaeth i gynnwys Cristnogol yr ŵyl, mae'r gorchwyl o'i chadw fel y dylid yn disgyn yn llwyr heddiw ar ddilynwyr Iesu. Gwedd ar y cadw hwnnw yw ymgydnabod ein hunain â'r personau a'r themâu sydd yn yr hanesion yn Efengyl Mathew ac Efengyl Luc am y Geni, eu hailddweud wrth ein plant a phlant ein plant, ac ymateb iddynt yn greadigol.

# *Personau a Themâu'r Nadolig*

# *Iesu'r Gwaredwr*

*'...a gelwi ef Iesu, am mai ef a wareda ei bobl oddi wrth eu pechodau.'* Mathew 1:21

Cymerwn yn ganiataol yn blentyn nad oedd neb yn dwyn yr enw Iesu heblaw Iesu o Nasareth, Iesu Grist, ac ni ddywedodd neb erioed yn amgen wrthyf. Yn hwyr yn y dydd, ar ddamwain, a chyda syndod, y deallais ei fod yn enw cyffredin ar wrywod mewn sawl rhan o'r byd, yn arbennig yn y Dwyrain Canol. Daliaf i synnu at y posibilrwydd bod baban yn cael ei eni heddiw yn Saudi Arabia neu Oman a'i rieni yn ei alw'n Issa – y ffurf Arabaidd ar Iesu.

Mae'r enw Iesu'n tarddu o'r enw Josua. Dyna oedd enw olynydd Moses. Arweiniodd Moses Israel drwy'r anialwch, a gwelodd wlad yr addewid o fynydd Pisga, ond oherwydd iddo droseddu ar y daith, ni chafodd fynd mewn iddi. Josua ei olynydd a arweiniodd y bobl i mewn i'r wlad. Er hynny, nid yw Josua'n enw mawr yn hanes Israel.

Ac yntau'n ceisio dyrchafu Iesu ym mhob modd, nid oedd yn ddim help i Mathew nad oedd yr enw Iesu yn enw gwreiddiol nac yn enw mawr o'r gorffennol. Yn ffodus, er mai 'Mae Duw'n helpu' yw ystyr gwreiddiol Josua, cysylltai'r farn boblogaidd yr enw â gwreiddyn gair a olygai gwaredu, a defnyddiodd Mathew yr esboniad hwnnw. Felly wedi i'r angel ddweud wrth Joseff, "a gelwi ef Iesu", ychwanega Mathew, "am mai ef a wareda ei bobl".

Y gwaredwr mwyaf yng ngorffennol yr Iddewon oedd Moses, ac oddi wrth gaethiwed gwleidyddol y gwaredodd ef ei bobl.

Oddi wrth beth y gwaredai Iesu ei bobl felly? "Oddi wrth eu pechodau" meddai'r angel wrth Joseff.

Dyma'r unig fan yn y Testament Newydd lle y dywedir yn benodol mai oddi wrth bechod y mae gwaredigaeth, ond fel y noda'r Athro W. D. Davies yn ei esboniad ef ar Efengyl Mathew, ni rydd y gosodiad hwn fwy na mwy o oleuni i ni. Ni ddywed wrthym beth a olyga Mathew wrth bechod, na beth yw ystyr gwaredigaeth iddo, na sut y cred ef y mae Iesu'n gwared.

Fel sydd i bopeth arall yn y cread, mae i eiriau hefyd eu hanes. Yn yr Hen Destament mae nifer o ystyron gwahanol i'r gair pechod, ond nid oes ynddo'r un gair sy'n cymhathu'r ystyron i gyd. Dosbarthiad bras o'r ystyron hynny fyddai, methu â chyrraedd nôd, gwyriad oddi wrth y ffordd iawn, gwrthryfel yn erbyn awdurdod, anffyddlondeb i gytundeb. Yn y Testament Newydd eto mae amrywiaeth o ystyron iddo, o ddrygau penodol megis afiechyd a meddiant gan ysbrydion aflan ac angau, hyd at dywyllwch, anwiredd, alltudiaeth, euogrwydd, caethiwed, a phŵerau gelyniaethus y byd hwn. I Paul, gallu llywodraethol mewn personau ac yn y byd oedd pechod, ac i awdur efengyl Ioan, pechod yw'r gwrthwyneb i wirionedd, ac mae'n gysylltiedig â pheidio â chredu yng Nghrist.

Mae esboniadau Cristnogol cyfoes ar y gair hefyd. Rhai'n gyfyng iawn – "Newydd fod mewn pwyllgor", meddai esgob Lwtheraidd wrthyf un tro, "yn trafod pechod, ond *'pelvic sins'* yn unig a drafodwyd – dim sôn am *'sins of power'*." Ceisiodd eraill ei ddiffinio drwy gynnig y gwrthwyneb iddo. Cofiaf glywed y Bedyddiwr, yr Athro Mansel John, yn dweud mai'r gwrthwyneb i bechod yw, nid daioni, ond ffydd.

Mae dau ddiffiniad o bechod sy'n goleuo'r gair i mi. Cwyd un o ddehongliad ar gyflawniad Iesu o'i alwad i fod yn Feseia, sef mai'r hyn a wnaeth oedd agor trysorau'r ffydd Iddewig, megis cyfiawnder a ffyddlondeb a maddeuant Duw, i'r hollfyd. Pechod yn y bôn wedyn fyddai codi gwahanfuriau rhwng unrhyw fathau o bersonau a thrysorau Duw ar eu cyfer. Y diffiniad arall yw un gan ddiwinydd sy'n dweud mai pechod yw defnydd anghyfrifol o'n rhyddid sy'n ein darostwng drwy ddiraddio ansawdd ein perthynas ag eraill, ac sydd felly'n difetha gwir lawenydd i ni ac iddynt hwy.

Beth bynnag a olyga 'pechod' i ni, Iesu a'n gwared oddi wrthynt, medd Mathew. Yn yr Hen Destament, ystyr gwreiddiol gwaredigaeth yw ehangder, y gallu i symud ymlaen heb rwystr, a defnyddid ef am lwyddiant mewn rhyfel. Disgrifid arweinydd a feddai'r nerth i ennill buddugoliaeth dros elynion ei bobl, yn waredwr iddynt. Daeth y gair i olygu canlyniad y fuddugoliaeth wedyn, a'r bobl a oedd dan fygythiad o ryw fath yn rhai ag angen gwaredigaeth arnynt. Felly pan aeth Dafydd ar ôl rhai o elynion ei bobl, yr hyn y mynnai ei wneud oedd 'sicrhau gwaredigaeth' (I Samuel 30:8). Ond Duw'n unig a allai godi 'gwaredwr', ac a feddai'r nerth i sicrhau buddugoliaeth iddo yn wyneb pob gelyn, felly Duw oedd y gwaredwr yn y pendraw (2 Samuel 23:10). Hanes Duw'n gwared ei bobl drwy godi arweinyddion gwaredigol iddynt oedd hanes cynnar Israel felly.

Yn y 6ed ganrif C.C. cysylltodd y proffwyd Ail-Eseia waredigaeth â neges y proffwydi ynghylch cyfiawnder. Ar ôl hynny gwaredigaeth oedd gwaredigaeth i'r rhai yr oedd arnynt angen cyfiawnder, sef y gwylaidd, y tlawd, a'r rhai heb obaith. Yn y canrifoedd cyn Crist daeth pobl i anobeithio am waredigaeth yn yr ystyr hwnnw yn y byd hwn. Dechreuwyd gobeithio am ddydd pan fyddai Duw'n ymyrryd mewn barn, yn dinistrio drygioni, ond yn dod â gwaredigaeth i'r rhai a gaed yn ddieuog yn y farn. Mae nifer o gyfeiriadau at waredigaeth yn y Testament Newydd yn sôn amdano mewn perthynas â'r dydd hwnnw. Er hynny, gan fod a fynno tynged dyn yn nydd y farn â'i werth gerbron Duw yn y byd hwn, gellid dweud hefyd bod gwaredigaeth i'w gael eisoes yn y byd hwn, a cheir y pwyslais hwn yng ngeiriau Iesu yn yr efengylau, yn arbennig yn Efengyl Ioan.

Yn y diwedd mae a fynno ein deall ni o waredigaeth â'n deall o bechod wrth gwrs. Os pechod, er enghraifft, yw codi gwahanfuriau rhwng unrhyw fath ar bobl a darpariaeth rasol Duw ar eu cyfer, yna iachawdwriaeth yw cael ein hachub oddi wrth bob culni a phlwyfoldeb a llwytholdeb sy'n llesteirio anian gynhwysfawr neges Iesu, ac os pechod yw defnydd anghyfrifol o ryddid sy'n difetha llawenydd i ni ac i eraill, yna gwaredigaeth yw gras i ddefnyddio rhyddid mewn modd sy'n dwyn llawenydd dwfn ac iach i ni ac i eraill.

Yn y Testament Newydd mae gwahanol ffyrdd i'n gwared hefyd, o waith penodol Crist ar y groes i'w ymgnawdoliad yn gyffredinol (ei ddysgeidiaeth a'i wyrthiau yn ogystal â'r groes a'r atgyfodiad), o wirionedd i'w gymhathu (yn ôl Efengyl Ioan), hyd at fuddugoliaeth derfynol Duw drwy Iesu yn niwedd hanes.

Tuedd rhai ohonom yw ceisio un prif ystyr i bechod a gwaredigaeth a gwaredu, mynnu eu hanfod fel petai. Tuedd eraill ohonom yw credu nad oes yr un esboniad sefydlog, terfynol a all fynegi hanfod sylweddau mor aruthrol fawr. Ffordd un diwinydd o fynegi'r duedd honno oedd dweud bod Iesu erbyn hyn wedi dod yn fyd cyfan y mae llaweroedd drwyddo ar hyd y canrifoedd wedi cael eu ffordd at Dduw. Beth bynnag ein tuedd ni'n bersonol, ar un peth cytuna pob Cristion, sef bod y baban y mynnodd yr angel fod Joseff yn ei alw'n Iesu, wedi ei eni i fod yn Waredwr.

# *Iesu'r Bugail*

*'...a fydd yn fugail ar fy mhobl Israel.'* Mathew 2:6

"Ble mae'r hwn a anwyd yn frenin yr Iddewon?" gofynnodd y seryddion wedi iddynt gyrraedd Jerwsalem. Cwestiwn i hoelio sylw brenin yr Iddewon ar y pryd, ac un yr oedd ei ddeiliaid yn ei gasáu: 'A phan glywodd y brenin Herod hyn, cythruddwyd ef,...'

Wedi clywed pwy oedd yn gofyn, cododd cwestiwn ym meddwl Herod. A oedd yn bosibl mai hwn oedd y Meseia hir-ddisgwyliedig? Heb wybod pa fath ar Feseia y byddai Iesu, ystyriai ef y baban hwn yn fygythiad i'w deyrnasiad ef. Felly, 'Galwodd ynghyd yr holl brif offeiriaid ac ysgrifenyddion y bobl, a holi ganddynt ble yr oedd y Meseia i gael ei eni. Eu hateb oedd, "Ym Methlehem Jwdea, oherwydd felly yr ysgrifennwyd gan y proffwyd: 'A thithau Fethlehem yng ngwlad Jwda, nid y lleiaf wyt ti o lawer ymysg tywysogion Jwda, canys ohonot ti y daw allan arweinydd a fydd yn fugail ar fy mhobl Israel.'"

Dyfyniad o lyfr y proffwyd Micha oedd y rhan fwyaf o'r ateb yna, ond aralleiriad yw'r geiriau olaf, 'a fydd yn fugail ar fy mhobl Israel', o eiriau yn Ail Lyfr Samuel (5:2), a Mathew a ychwanegodd y rheiny at eiriau Micha. Pam?

Daw'r geiriau a ychwanegwyd o hanes digwyddiad ym mywyd y brenin Dafydd. Ar un adeg yr oedd Dafydd yn frenin dim ond ar ei lwyth ei hun, llwyth Jwda, yn y de o'r wlad, ac yr oedd Ishbaal, yr unig un o feibion y brenin Saul yn dal yn fyw, yn frenin ar deyrnas Israel yng ngogledd y wlad. Ond lladdwyd

Ishbaal, a daeth pobl y gogledd i ofyn i Dafydd am fod yn frenin arnynt hwythau hefyd. "Fe ddywedodd yr Arglwydd wrthyt" meddent, "'Ti sydd i fugeilio fy mhobl Israel.'" Wrth ychwanegu aralleiriad o'r geiriau yna i broffwydoliaeth Micha, dweud yr oedd Mathew y byddai rhaid i'r Meseia, heblaw cael ei eni ym Methlehem Jwdea, fod y math ar fugail y bu Dafydd i bobl Israel.

Yr oedd tair nodwedd bwysig i fugeiliaeth Dafydd o Israel.

(a) Gallai ef uniaethu a'r bobl a ofynnodd iddo i'w harwain. Pan ofynasant iddo eu harwain, eu geiriau cyntaf iddo oedd, "Edrych, dy asgwrn a'th gnawd di ydym ni." Yr oedd Dafydd, a thrigolion Israel, yn ddisgynyddion Jacob.

(b) Mewn ymateb i'w cais y cytunodd i fod yn frenin arnynt, a rhan o'i ymateb oedd gwneud cyfamod â nhw (2 Samuel 5:3) sy'n golygu ei fod wedi derbyn rhai cyfrifoldebau tuag atynt.

(c) Golyga'r teitl bugail mai gwedd ar ei waith fyddai meithrin ei bobl, mynd o'u blaen fel y gwnâi bugail y dwyrain, fel y gallai gyfarfod ambell berygl a'i wynebu cyn iddynt hwy ddod ar ei draws, ac felly eu harwain at borfa dda fel petai.

Nid ymdebygai Herod i Dafydd yn un o'r ffyrdd hyn.

Yn gyntaf, ni allai ei bobl uniaethu ag ef oherwydd nid ei asgwrn a'i gnawd ef oeddent. I'r gwrthwyneb, un o ddisgynyddion brawd Jacob, Esau, rhagflaenydd yr Edomiad, oedd Herod, ond er bod yr Iddewon a'r Edomiaid yn 'gefnderwydd', yr oedd y ddau 'deulu' bob amser yn elyniaethus i'w gilydd.

Yn ail, nid ar gais ei bobl y daethai Herod yn frenin. Y Rhufeiniaid, concwerwyr yr Iddewon, a roesai ef ar ei orsedd, am iddo eu gwasanaethu mewn rhyfel, ac nid oedd ef wedi ymrwymo â'i bobl i gadw'r un ddyletswydd tuag atynt.

Yn drydydd, nid meithrinwr ei bobl mohono. I'r gwrthwyneb, tyfodd i fod yn gynllwyniwr a dinistriwr. Twyllodd y seryddion a cheisio eu defnyddio, lladdodd blant diniwed, lladdodd Ioan Fedyddiwr, a lladdodd ei wraig a'i feibion ei hun. Â geiriau fel 'drwg' a 'maleisus' y disgrifir ef fel arfer.

Ar y llaw arall, ymdebygai Iesu i Dafydd ymhob un o'r ffyrdd hyn. Medrai Iddewon uniaethu ag ef, oherwydd yr oedd yn Iddew o'r bru, ac wedi ei fagu yn ffydd ei bobl. Ond medrai'r

Cenhedloedd uniaethu ag ef hefyd. Yn y rhestr achau ar ddechrau ei efengyl olheinia Mathew wreiddiau Iesu yn ôl at Abraham, a dywedodd Duw wrth Abraham "ynot ti y bendithir holl dylwythau'r ddaear." Perthynai Iesu i'r Iddewon a'r Cenhedloedd.

O'u hewyllys rydd a'u bodd y daethai rhai'n ddilynwyr i Iesu hefyd. Ni orfodai ef ei ewyllys ar neb, ac ni adawai i'w ddisgyblion wneud hynny. Weithiau gwahoddai bobl i'w ddilyn, ac weithiau dewisent hwy eu hunain wneud hynny. Ond rhybuddiodd rai pobl rhag ei ddilyn oherwydd yr anawsterau.

At hynny, derbyniodd ddyletswyddau mawr a hunanymwadol tuag at y rhai a ddewisai ei ddilyn. Disgrifiodd ei hunan fel bugail, ac yr oedd yn fugail *par excellence.* Yr oedd yn feithrinwr. Mae'r darlun mynych ohono yn yr efengylau fel un yn rhannu bara yn symbol o'r agwedd hanfodol hon o'i hunanddeall, ac aeth o'u blaen i wynebu peryglon ar eu rhan, er mwyn eu harwain at borfa dda.

Ychwanegodd Mathew y geiriau 'a fydd yn fugail ar fy mhobl Israel', at y dyfyniad o Micha ynghylch man geni'r Meseia, oherwydd, yn gyntaf, gwnâi hynny hi'n amhosibl defnyddio geiriau Micha o blaid na Herod nac unrhyw deyrn creulon tebyg iddo, ac yn ail, byddai'r broffwydoliaeth yn ddisgrifiad a weddai i Iesu.

Methodd Cristnogion yn aml â rhoi sylw i'r agweddau hyn o arweiniad Iesu. Yn aml methasant â phwysleisio ei gymeriad animperialaidd er enghraifft. Ysgrifennodd yr offeiriad Pabyddol Matthew Fox yn ei lyfr *'Original Blessing'* am y ffordd y datblygodd Cristnogaeth pan ddaeth yn grefydd yr Ymherawdr Cystennin yn y bedwaredd ganrif. Datblygodd, meddai, i fod yn grefydd wedi ei sylfaenu ar fathau gwahanol ar ddeuoliaeth, megis nef ac uffern, ysbryd a mater, saint a phechaduriaid, Cristnogion a phaganiaid. Ac wedi i'r ysbrydolrwydd deuol hwn ddod yn grefydd Rhufain, cysylltwyd ef â phŵer, a rhoddodd hynny yn ei dro hwb mawr i'r Croesgadau a'r Chwilys a hil-laddiad Indiaid Cochion a llosgi Iddewon a boddi gwrachod. Mae arnom angen, medd Fox, ysbrydolrwydd nad yw'n ddeuol yn y diwedd, ysbrydolrwydd cyfan sy'n cymryd yr Iesu animperialaidd o ddifrif.

Mae llaweroedd o Gristnogion sydd wedi adnabod Iesu'r meithrinwr, yr Iesu sy'n llanw a dyrchafu bywyd, yr Iesu sy'n gwneud lle i bobl, Iesu cefnogwr annibyniaeth a chyfanrwydd. Mae'r enwau'n perarogli – Ffransis, Eckhart, Catherine o Siena, Teresa o Afila, Galileo, Bach, Schweitzer, Rosa Parks, Luther King, Teresa, Merton, Waldo. A rhai di-nod yr ydym ni yn eu hadnabod yn bersonol! Mae'r Nadolig yn ein gwahodd ninnau i ymuno â'r fintai hon.

Ni freuddwydiais y byddai dilyn yr ychydig eiriau yna yn Ail Lyfr Samuel yn ehangu cymaint ar neges y Nadolig i mi. Ond hanesion fel yna yw hanesion y Nadolig.

# *Iesu Tywysog Tangnefedd*

*'...ac ar y ddaear tangnefedd...'* Luc 2:14

Cyn dweud am eni Iesu, a sôn am angel yn cyhoeddi'r ffaith i'r bugeiliaid, ac adrodd am y 'dyrfa o'r llu nefol' yn canu'r *Gloria* – y gantigl fer sy'n cynnwys y geiriau 'ac ar y ddaear tangnefedd', rhydd Luc ychydig o gefndir hanesyddol y geni.

Y cefndir hwnnw (2:1-2) yw bod gorchymyn wedi mynd allan oddi wrth Awgwstws Cesar, Ymherawdr Rhufain, i gofrestru'r holl Ymerodraeth. Digwyddodd y cofrestru hwn, medd Luc, pan oedd Cyrenius yn llywodraethu ar Syria – gyda chyfrifoldeb arbennig am Jwdea – ac aeth pob un a oedd i'w gofrestru i'w dref ei hun. Perthynai Joseff 'i dŷ a theulu Dafydd', felly aeth ef â Mair o Nasareth yn Galilea i Jwdea, '...i dref Dafydd a elwir Bethlehem.'

Yr oedd gorchymyn Awgwstws i gofrestru'r holl Ymerodraeth felly wedi dod â Joseff a Mair feichiog i'r man lle y disgwyliai'r Iddewon y genid y Meseia, yn unol â phroffwydoliaeth Micha (5:2) 'Ond ti, Bethlehem Effrata, sy'n fychan i fod ymhlith llwythau Jwda, ohonot ti y daw allan i mi un i fod yn llywodraethwr yn Israel,..'

Mae Raymond Brown yn amau bod rhesymau eraill gan Luc dros roi lle yn ei stori i Awgwstws. Gellir awgrymu mwy nag un yn sicr, ambell un yn bosibl, ambell un yn debygol.

1. Ar ddechrau'r drydedd bennod o'i efengyl, rhydd Luc gyd-gyswllt hanesyddol i weinidogaeth Ioan Fedyddiwr drwy enwi Tiberius yr Ymherawdr. Wrth enwi yr Ymherawdr Awgwstws

gwna yr un peth eto ynghylch geni Iesu. Beth bynnag a wnaethom ni ac a wnawn ni Gristnogion heddiw i ddehongli'r newyddion da yn bennaf os nad yn gyfangwbl mewn modd unigol a phersonol, mae Luc yn gosod geni Iesu ar lwyfan hanes ei ddydd.

2. Un o ganlyniadau gorchymyn Awgwstws i gofrestru'r holl Ymerodraeth oedd gwrthryfel Iddewig. Fe'i cychwynnwyd gan Jwdas y Galilead, sylfaenydd y Selotiaid, mudiad cenedlaethol Iddewig (Actau 5:37). Ni ddaeth y gwrthryfel i'r brig tan rai degawdau'n ddiweddarach, a daeth i ben pan drechwyd ef yn greulon gan y Rhufeiniaid yn 70 O.C. Ysgrifennai Luc ar ôl i hynny ddigwydd, ac erbyn hynny, o achos y gwrthryfel, yr oedd amheuaeth fawr o fudiadau cenedlaethol ac arweinwyr meseianaidd yn yr Ymerodraeth Rufeinig.

Oherwydd hynny mae tuedd yn yr efengylau i bwysleisio nad oedd Iesu o blaid gwrthryfel. Dywed Luc bod Pilat dair gwaith (23:4,14,22) wedi datgan yn glir bod Iesu'n ddieuog o'r cyhuddiad o arwain y genedl ar gyfeiliorn drwy wahardd talu trethi i Gesar (23.2). A yw Luc, drwy ddangos bod rhieni Iesu'n ufuddhau i'r union gyfrifiad gan Awgwstws a oedd wedi cychwyn gwrthryfel Jwdas y Galilead a'r Selotiaid, yn arfogi ei ddarllenwyr â'r wybodaeth nad oedd gwrthryfel yn rhan hyd yn oed o gefndir hanes Iesu?

3. Yn yr 8fed ganrif C.C. concrodd Assyria yr Israeliaid. Parodd hyn benbleth mawr iddynt. A olygai hynny fod terfyn ar allu eu Duw i'w harbed? A olygai fod Assyria, neu dduwiau Assyria, yn drech na'u Duw nhw? Ateb y proffwyd Eseia oedd fod Duw Israel yn Dduw yr hollfyd hefyd, yn Dduw Assyria yn ogystal â Duw Israel. Beth bynnag felly oedd bwriad Assyria wrth goncro Israel, cael ei defnyddio gan Dduw oedd hi, 'gwialen llid Duw' oedd hi i ddisgyblu Israel am ei drygioni (Eseia 10:5). A yw Luc yn dangos felly mai'r hyn yr oedd Awgwstws yn ei wneud, beth bynnag ei fwriad ef wrth roi ei orchymyn i gofrestru'r holl Ymerodraeth, oedd creu'r sefyllfa a wnâi geni Iesu yn ninas Dafydd, ym Methlehem, yn bosibl? Ai dweud yr oedd mai yn y diwedd, gwasanaethu cynllun Duw yr oedd rheolwr mwyaf pŵerus ei ddydd, yr Ymherawdr Rhufeinig?

4. Ond mae rheswm pwysicach eto, sy'n fwy na thebygol. Yr oedd Luc, drwy enwi Awgwstws (53 C.C. – 14 O.C.), yn enwi rheolwr a roddodd derfyn ar y rhyfeloedd a rwygodd yr Ymerodraeth ers llofruddiad Iwl Cesar, ac a gofir felly fel un a ddaeth â heddwch i'w fyd. Oni bai am yr heddwch hwnnw ni allai orchymyn cofrestru'r holl Ymerodraeth.

Yn y Fforwm yn Rhufain, man agored yng nghanol y ddinas lle yr ymgasglai ei dinasyddion, a phrif adeiladau'r Ymerodraeth o'u cwmpas, yr oedd cysegrfa i Janus, Duw dechreuadau a diweddiadau. Cedwid drysau'r gysegrfa hon ar agor adeg rhyfel, ond yn 29 C.C., wedi eu cadw ar agor am flynyddoedd, fe'u caewyd oherwydd yr heddwch a sicrhaodd Awgwstws drwy'r Ymerodraeth. Yn y flwyddyn 9 C.C., rhyw bedair blynedd cyn geni Iesu, codwyd allor fawr yn Rhufain yn symbol o'r heddwch Awgwstinaidd. Yr oedd dinasoedd Groegaidd Asia Leiaf hyd yn oed, wedi mabwysiadu Medi 23, pen-blwydd Awgwstws, yn ddiwrnod cyntaf y flwyddyn newydd, i gydnabod nid yn unig yr heddwch a ddaeth ef i'r Ymerodraeth, ond y llwyddiant masnachol a chymdeithasol a ddaeth yn sgîl yr heddwch hwnnw.

Ar hyd y canrifoedd mae Cristnogion o bryd i'w gilydd wedi bod mewn rhyw sefyllfa hanesyddol a ymddangosai iddynt hwy yn fygythiad i hanfod eu ffydd, ac maent wedi tystio yn ei herbyn weithiau mewn dull anuniongyrchol. Yn 1934, yr oedd yr Almaen, gan gynnwys prifysgolion, mudiadau diwylliannol, a byd busnes, i gyd wedi derbyn y weledigaeth Natsïaidd, wedi ildio'n ddidelerau i afael cynyddol Hitler ar y wlad. I genedl yn crymu o dan faich dyledion Y Rhyfel Byd Cyntaf, yn dioddef o ddiffyg gwaith ac o gynnwrf cymdeithasol, ac yn teimlo'n flin am wasgfeydd real a dychmygol Cytundeb Versailles, daeth Hitler â gwaith, a threfn, a balchder. Bryd hynny ymddangosai ef ei hun yn fodel o rinwedd – llysieuwr nad oedd nac yn ysmygu nac yn yfed nac yn ferchetwr, dyn diwyd, dewr a garai deulu a gwlad. Darluniwyd ef byth a hefyd yn mwynhau blodau a phlant ac yn anrhydeddu gwragedd, ac ymddygai fel noddwr y celfyddydau a gasâi bopeth bas mewn cerddoriaeth a llenyddiaeth a chelfyddyd gain.

Twyllwyd hyd yn oed yr eglwysi, ac nid heb achos. Cyflwynai

Hitler ei hun fel dyn crefyddol. Defnyddiai enw Duw, siaradai am Ragluniaeth, a chynigiai ei hun fel amddiffynnydd Cristnogaeth yn erbyn Comiwnyddion di-Dduw. Drwy gytundeb a arwyddwyd rhyngddo a'r Fatican ym 1933, derbyniodd gydnabyddiaeth ddiamod Eglwys Rufain. Croesawyd ei lywodraeth hefyd gan ddiwinyddion Lwtheraidd amlwg fel Paul Althaus, a Gerhard Kittel – awdur yr enwog *'Theological Wordbook of the New Testament'*.

Eithr dinistriwyd yr Undebau mewn noson, mynegwyd cenedlaetholdeb Almaenig ac arweiniad Hitler mewn termau peryglus iawn, ac yr oedd gwrth-Iddewiaeth gwenwynig ar gerdded yn y wlad. Yr oedd yr ysgrifen ar y mur i rai, a ffurfiwyd ganddynt *Die Bekenntnis Kirche* – Yr Eglwys Gyffes. Allan o'u cynhadledd gyntaf, yn Barmen, ym mis Mai 1934, daeth dogfen a alwyd yn 'Datganiad Barmen'. Cynnwys y Datganiad oedd dysgeidiaeth Gristnogol y byddai unrhyw Gristion yn ei derbyn, ond er nad oedd sôn ynddi am Hitler, gwyddai pob Almaenwr mai Hitler oedd ei thestun. Felly hefyd ni allai neb gamddeall teitl cyfrol o bregethau a gyhoeddwyd yn yr un cyfnod gan Martin Niemöller, gweinidog a fu'n gapten llong-U yn y Rhyfel Gyntaf – *Christus ist Mein Führer*.

Nid yw Luc yn gwadu delfrydau'r Ymerodraeth Rufeinig ynghylch heddwch, ond ymhlyg yn ei ddisgrifiad o eni Iesu yr oedd her i'r propaganda ymherodrol ynghylch Awgwstws, a phrin mai damwain oedd hynny. Digwyddodd y diwrnod geni a nodai ddechrau newydd i amser, medd Luc, nid yn Rhufain fawr, enwog, bŵerus, ond mewn lle 'di-nod a thlawd fel Bethlehem', yn nhawel wlad Jwdea dlos. Haera Luc hefyd nad Awgwstws, yr Ymherawdr buddugoliaethus â'i fyddin fawr yw awdur gwir heddwch y byd, ond Iesu, yr Oen Di-fai, y Gwas Dioddefus. Yr oedd allor wedi ei godi i'r *Pax Augusta*, ond yr hyn a gyhoeddodd y llu nefol oedd y *Pax Christi* – '...ac ar y ddaear tangnefedd...'.

# *Mair y Disgybl*

*'Aeth yr angel ati a dweud, "Henffych well, tydi, yr un y rhoddodd Duw ei ffafr iddi"'.* Luc 1:28

Nid oes neb ond Iesu ei hun wedi chware rhan mwy canolog na Mair ei fam yn natblygiad crefyddolder a delweddaeth a diwinyddiaeth Gristnogol. Bu llawer o elfennau gwahanol iawn yn natblygiad y broses hir honno. Un yw adweithiau i'r Efengyl na allai pobl gael ffocws rhwydd iddynt mewn Trindod wrywaidd.

Un arall yw datganiadau'r Eglwys. Yn y bumed ganrif, cadarnhawyd Mair, mewn Cyngor Eglwysig yn Effesus, fel *theotokos* – gair Groeg sy'n golygu 'mam Duw'. Wedyn cyflwynwyd hi fel Brenhines y Nefoedd, sydd wedi esgyn i'r gogoniant, sy'n teyrnasu ar ddeheulaw Duw, ac sy'n haeddu defosiwn uwchlaw'r hyn a roddir i bob sant arall. Oherwydd pwyslais yr Eglwys ar un adeg ar Iesu fel Barnwr llym, daeth Cristnogion i ystyried Mair yn gyfryngwr tosturiol y gallent weddïo arni i eiriol ar ei mab drostynt. Ymddangosodd Mair weithiau yn nefosiwn yr Eglwys Babyddol a'r Eglwys Uniongred fel pe bai hi wedi cymryd lle'r Ysbryd Glân yn y Drindod.

Arweiniodd hyn at eithafion mewn ymarferion ysbrydol wedi eu cysylltu â Mair. Daethpwyd hefyd i'w hystyried yn symbol o'r Eglwys, ac wedyn tueddodd y credoau amdani gefnogi syniad o'r Eglwys fel cyd-waredwr â Christ, sydd ag awdurdod i deyrnasu gydag ef dros lywodraethwyr ac ymerawdwyr y ddaear. Gall y math hwn ar edmygedd o Mair roi cefnogaeth symbolaidd felly i eglwysyddiaeth ymorchestol a rhwysgfawr.

Yr oedd arweinwyr y Diwygiad Protestannaidd yn yr 16eg ganrif yn barchus iawn o Mair. Soniai Luther amdani fel Mam Fendigaid Duw ac ysgrifennodd lith hyfryd ar y *Magnificat*. Mynnodd hefyd (fel y gwnaeth Zwingli ac eraill), iddi fod yn wyryf hyd yn oed wedi geni Iesu. Ni ystyriai John Calfin fod eisiau credu bod Mair yn wyryf wedi geni Iesu, a chynghorodd yn erbyn dyfalu haerllug ar y mater, ond dysgai fod galw arnom i barchu Mair yn fawr, a chyfeiriai ati nid yn unig fel Y Wyryf Sanctaidd, ond fel ein hathro yn y ffydd. Dywedodd fod hyd yn oed yr apostolion wedi dysgu rhai pethau ganddi.

Ond yng ngolwg y Diwygwyr Protestannaidd hyn, yr oedd cynnwys a naws y bri a roddwyd i Mair gan Babyddion yn bygwth neges ganolog eu tystiolaeth hwy, sef arbenigrwydd Iesu fel yr unig gyfryngwr rhyngom ni a Duw. O ganlyniad, yn y cyfnod dadleuol wedi'r Diwygiad, adweithiodd Protestaniaid yn gryf yn erbyn yr eithafion a honnid am Mair gan yr Eglwys Babyddol. Chwalwyd ac amharchwyd delwau aneirif ohoni ar draws Ewrop. Yn y diwedd aeth Protestaniaid ymlaen i anwybyddu hyd yn oed yr hyn a ddywedai'r Beibl amdani! I bob pwrpas diflannodd o'u diwinyddiaeth a'u duwioldeb.

Pellhaodd y safbwynt Pabyddol a'r safbwynt Protestannaidd fwyfwy oddi wrth ei gilydd yn y bedwaredd ganrif ar bymtheg a'r ugeinfed oherwydd i'r Eglwys Babyddol gyhoeddi dwy ddogma newydd amdani, un ynghylch ei Beichiogi Dihalog (1854), ac un ynghylch ei Dyrchafiad Corfforol (1950). Bu adwaith hefyd yn erbyn taerineb y defosiwn iddi a dyfodd mewn cyswllt â mannau lle yr honnid ei bod hi wedi ymddangos, yn arbennig Lourdes yn Ffrainc, Fatima ym Mhortiwgal, a Guadalupe ym Mecsico. O ganlyniad, cyfyngwyd yr ychydig ddiddordeb modern a fu gan Brotestaniaeth yn Mair i'r cenhedlu gwyryfol ac i'r geni, a bu tuedd i bopeth arall a ddywed y Beibl amdani ddiflannu o'r golwg.

Anghytunai y diwinydd Protestannaidd modern cyntaf, Friedrich Schleiermacher, â Phrotestaniaeth ei ddydd ef ynghylch Mair. Heriodd y gred bod cyswllt rhwng y cenhedlu gwyryfol a duwdod Iesu. Ni ellir esbonio bodolaeth Duw yn Iesu drwy ddweud nad oedd gweithgarwch gwrywaidd wedi bod yn rhan o'i genhedlu meddai. Dadleuodd hefyd na ddylai'r syniad o genhedlu gwyryfol ddwyn dim oddi wrth ddilysrwydd hanesyddol bywyd Iesu, nad oes dim sail dros gredu yn 'niweirdeb parhaol' Mair, ac y dylai esboniad o genhedlu gwyryfol Iesu osgoi unrhyw ddifrïo o rywioldeb dynol. Ond er ei anghytundeb â'r darlun Protestannaidd o Mair yn ei ddydd ef, methodd Schleiermacher ag awgrymu darlun gwahanol ohoni.

Wedi ei ddyddiau ef, addaswyd Mair gan ryddfrydiaeth Brotestannaidd i werthoedd diwylliant *bourgeois* y Gorllewin. Daeth hi'n ddelfryd o'r natur y tybiwyd y neilltuodd Duw i'r fenyw, sef i wasanaethu eraill, i wareiddio gwrywod a chymdeithas drwy ddylanwad ei chariad anhunanol a'i rhinwedd dilychwin, i fod yn fodel o fam ac yn batrwm o rinweddau mwyn y fenyw 'berffaith'.

Ymosododd Barth, diwinydd Protestannaidd mawr yr ugeinfed ganrif, ar ddiwinyddiaeth Ryddfrydol Brotestannaidd. Agorodd hynny'r llwybr iddo i ddeall Mair mewn ffordd newydd ond mae ei sylwadau yntau arni'n llwyr gyfyngedig bron i'w rhan yn y cenhedlu gwyryfol. Fel derbynnydd cwbl oddefol yng ngweithred achubol Duw y gwêl ef Mair.

Ond bellach, mae Pabyddion a Phrotestaniaid yn ailedrych ar le Mair yn y traddodiad Cristnogol. Ar y naill law, wedi dadlau brwd, penderfynodd Fatican II beidio â thrafod Mair fel maes diwinyddol ar wahân, ond fel is-thema wrth drafod pwnc yr Eglwys, ac ar y llaw arall dadleuodd diwinyddion ffeministaidd Pabyddol a Phrotestannaidd ein bod wedi darlunio Mair mewn ffyrdd sy'n bendithio safle isradd menywod mewn cymdeithas. Mae mwy o bwyslais nawr gan ddiwinyddion o'r ddwy garfan ar ddarlunio Mair fel person y mae ein gwybodaeth amdani'n seiliedig ar y dystiolaeth Feiblaidd iddi!

Ceisiodd diwinydd Americanaidd, Daniel Migliori, roi arweiniad i safbwynt Diwygiedig (sef Protestaniaid a ddilynodd Calfin ac nid Luther – Presbyteriaid a Bedyddwyr ac Annibynwyr yn eu plith), tuag at Mair, seiliedig ar y Testament Newydd.

Tynnodd ef sylw at y ffaith bod Luc yn cofnodi digwyddiad pan alwodd menyw yn y dorf at Iesu – "Gwyn eu byd y groth a'th gariodd di a'r bronnau a sugnaist." Yn ôl Luc ateb Iesu oedd, "Nage, gwyn eu byd y rhai sy'n clywed gair Duw ac yn ei gadw" (11:27,28). Ni all hynny ond golygu bod Luc yn mynnu, medd Migliori, mai'r wedd bwysicaf o berthynas Mair â'r mab yr oedd hi ei hunan wedi cael y ffafr ddwyfol o fod yn fam iddo, oedd iddi yn y diwedd nid yn unig ddewis bod yn bresennol wrth y groes, ond wedi hynny, iddi berthyn, fel y dywed y bennod gyntaf o llyfr yr Actau, i gwmni bychan ei ddilynwyr ef yn Jerwsalem.

# *Y Fair Feddylgar*

*'Rhyfeddodd pawb a'u clywodd at y pethau a ddywedodd y bugeiliaid wrthynt; ond yr oedd Mair yn cadw'r holl bethau hyn yn ddiogel yn ei chalon ac yn myfyrio arnynt.'* Luc 2:18,19

Ni ddywed y Beibl ddigon am Mair i ni ysgrifennu bywgraffiad ohoni. Ni wyddom ddim am ei phryd a'i gwedd, na dim am ei diddordebau hi. Ni wyddom hyd yn oed ble a sut a pha bryd y bu farw, na beth oedd ei hoed bryd hynny.

Ond oni ellid dyfalu'n ddeallus ynghylch sut fam oedd hi? Rhaid bod yn ofalus wrth gwrs. Cododd ysgolheigion gwestiynau ynghylch perthynas mam a mab yn y gymdeithas honno bryd hynny, ond mae'n faes cymhleth.

Eto rhaid bod ei fam wedi dylanwadu'n fawr ar Iesu. Mae'r reddf i garu yn gysylltiedig ym mhawb ohonom â'r cariad a gawsom pan oeddem yn fach, ac yr oedd Mair o leiaf yn elfen bwysig yn natblygiad y reddf honno yn Iesu, greddf y gellid ei niweidio cymaint yn y blynyddoedd cynnar. Oni allwn ddweud, yn wyneb aeddfedrwydd cynnar person Iesu, mai prin bod cariad ei fam wedi gwneud iddo niwed y bu rhaid iddo'n ddiweddarach wario amser ac egni'n ei ddadwneud, fel y bu rhaid i laweroedd?

Oni allwn ddweud hefyd, yn wyneb gallu Iesu i dreulio amser wrth ei hunan, nad mam anghenus oedd hi a gadwai ei phlentyn yn gaeth wrth ei hymyl byth a hefyd? Darllenwn am Iesu weithiau'n gadael y tyrfaoedd a'i ddisgyblion a mynd wrth ei hunan i rywle unig, anghyfannedd. Mae angen cynorthwyo plant i allu ymwneud ag adegau pan nad ydynt ynghlwm wrth berson neu gwmni arall, neu byddant yn methu yn oedolion â dygymod â'r unigrwydd sydd yn rhyw ran o fywyd i bawb. A allai Iesu'r oedolyn fod wedi trafod a defnyddio'n dda yr unigedd yr oedd ei fawr angen arno, pe bai wedi ei fagu gan fam feddiangar na allai fyth ei ollwng o'i golwg?

Pa fath ar gariad mam felly y byddai angen ar Iesu yn ei blentyndod iddo allu tyfu i fod y math ar oedolyn a welwn ni yn yr efengylau? Onid cariad mam nad oedd yn gwbl ddibynnol, un a allai ildio i ysbryd annibynnol person arall? Menyw a chanddi gariad yr oedd iddo ei ddymuniadau ei hun, ond cariad a gydweddai â theimladau ac agweddau pobl eraill hefyd, ag anwyldeb ac edmygedd a pharch? Cariad hefyd â chanddo ddigon o rychwant i gysgodi ei phlentyn rhag y culni a'r hunandwyll a allai ei gyfyngu? Cariad a oedd yn duedd yr hunan cyfan ac nid rhan yn unig ohono? Cariad a allai, pan hoeliai ei sylw ar un person, fod yn fwy na chariad at yr un person hwnnw?

Ond mae llawer ynghylch Mair nad oes angen dyfalu yn ei gylch, oherwydd mae hi'n amlycach yn yr Efengylau nag y cydnebydd rhai o'n traddodiadau Cristnogol ni. Yn ogystal â'r prif bwynt a nododd Migliori yn yr erthygl a grybwyllais yn yr ysgrif flaenorol, nododd bedwar pwynt arall. Y cyntaf yw ei pharodrwydd i dderbyn tynged Duw ar ei chyfer. Yn ystyriol – "Sut y digwydd hyn?" gofynnodd i'r angel, ac o'i hewyllys a'i dewis rhydd hi ei hun – "bydded i mi yn ôl dy air di" y derbyniodd ei thynged. Yr ail yw yr uniaethu ohoni hi â'r tlawd a'r briwedig yn y *Magnificat* – yn fenyw ifanc, heb eto fynd i fyw gyda'i dyweddi, ac yn feichiog, yr oedd hi'n un ohonynt. Y trydydd, seiliedig ar sawl adnod a sonia am ei dryswch weithiau, yw ei hangen am ddeall mwy, sy'n ein hatgoffa bod ansicrwydd a thyfiant yn rhan o ffydd. Y pedwerydd yw ei galwad hi i 'weinidogaeth'. Ar y groes, medd y bedwaredd efengyl (19:26), edrychodd Iesu arni hi a'r 'disgybl yr oedd yn ei garu' (Ioan yn ôl traddodiad), a dywedodd, "Wraig, dyma dy fab di.", ac wrtho ef, "Dyma dy fam di." A chofio symbolaeth y bedwaredd efengyl, prin, medd Migliori, y byddai'r efengylydd yn bwriadu i'w ddarllenwyr ddeall y digwyddiad hwn wrth y groes dim ond fel consýrn am ei fam ac un disgybl. Darlun o'r Eglwys yn deulu sydd yma, meddai, darlun o bobl Dduw yn cael perthnasau newydd, ac yn cael eu galw i ofalu dros ei gilydd.

Yn hanes Luc am y bugeiliaid, cawn neges arall eto. Mae llawer o gymeriadau yn yr hanes hwn – y bugeiliaid, angel, 'tyrfa fawr o'r llu nefol', Mair a Joseff, y baban Iesu, y bobl y dywedodd y bugeiliaid yr hanes wrthynt. Ni chafodd neb o'r rhain ran ymhellach yn efengyl Luc – ar wahân i Mair a'r baban. Ni sonnir eto am yr angel a'r llu nefol, ni chlywyd mwy am y bugeiliaid nac am y rhai a glywodd eu stori. Nid yw hyd yn oed Joseff yn ymddangos wedi'r ail bennod yn yr efengyl. Ond fe glywn fwy am Mair.

Yn rhagymadrodd Luc i'w efengyl y digwydd stori'r bugeiliaid, ac i bob golwg cyfansoddwyd rhagymadrodd Luc, fel y mwyafrif mawr o ragymadroddion, wedi i'r gweddill o'i efengyl gael ei orffen. Pan ysgrifennodd Luc stori'r bugeiliaid felly yr oedd eisoes wedi cyflwyno Mair yng nghorff ei efengyl, ac yn llyfr yr Actau, nid yn unig fel cyswllt corfforol ffyddlon rhwng marw ac atgyfodiad Iesu a'r eglwys gynnar, ond fel rhywun a oedd ymhen amser wedi rhoi'r stori i gyd at ei gilydd yn ei deall hi ei hun.

Sut oedd Luc felly'n mynd i'w chyflwyno yn yr hanesyn hwn yn ei ragymadrodd? Yr hyn yr oedd ei angen arno oedd rhyw nodwedd i'w roi i Mair ar ddechrau ei efengyl a fyddai yn esbonio sut y daeth hi gyda hyn yn un o ddilynwyr ffyddlon a deallus ei mab ei hun. A'r hyn y dewisodd Luc ddweud amdani oedd, fod Mair 'yn cadw'r holl bethau hyn yn ddiogel yn ei chalon ac yn myfyrio arnynt.'

Mae 'cadw' yma'n golygu mwy na dal mewn cof. Golyga gadw ar gyfer amcan. Mae'r gair 'myfyrio' yn dwyn ar gof ymadrodd yn yr ail adnod o'r Salm gyntaf – 'yn myfyrio yn ei gyfraith ef ddydd a nos'. Ystyr llythrennol 'myfyrio' yma yn yr Hebraeg gwreiddiol yw 'mwmian mewn llais isel', ac yn ôl y diweddar Athro Vernon Lewis fe'i defnyddir 'am golomen yn grwnan'. Daw hefyd i gof yr ymadrodd 'ei gwefusau oedd yn symud' yn y disgrifiad yn I Samuel (1:13) o Hanna'n gofyn i Dduw pan oedd hi'n ddi-blant am roi plentyn iddi. Sôn sydd yma am y math ar fyfyrio dwys a all arwain rhai i sibrwd yn dawel. (Yn y Canol Oesoedd datblygwyd y math hwn ar fyfyrio yn ymarfer ysbrydol

Cristnogol a alwyd yn *'ruminatio'*.)

Mae Mair felly'n esiampl i ni o berson sy'n clywed pethau nad ydynt eto'n glir ond sy'n amlwg o bwysig, ac yn eu cadw mewn cof yn fyfyrgar er mwyn eu deall ryw ddiwrnod, pan ddigwydd rhyw beth neu bethau a rydd ystyr iddynt – ac a'u gwnânt bryd hynny'n her. Gall ei hefelychu yn hynny ein cynorthwyo ninnau hefyd i dyfu ac aeddfedu fel dilynwyr ffyddlon a deallus i'w mab hi, Iesu.

# *Joseff, Gŵr y Sedd Gefn*

*'Joseff, gŵr Mair,...'* Mathew 1:16

Y fam, wrth gwrs, a gaiff y sylw adeg geni plentyn, nid y tad. Hynny sy'n iawn, gan mai hi sydd wedi cario'r baban, hi sydd wedi dioddef y poenau esgor, a hi sy'n rhoi maeth iddo wedyn. Yn wir, mae ei rôl hi mor allweddol fel mai rhwydd yw hyd yn oed i'r tad mwyaf gofalgar gael ei anghofio'n llwyr – nid gan ei wraig gobeithio, ond gan bawb arall bron.

Wythnos wedi geni ein plentyn cyntaf ni, gofynnodd fy mam i mi – "Wel, sut wyt ti, 'rwy'n siŵr nad oes neb arall wedi gofyn i ti." Gwir oedd y gair. Yr oedd yn dda gen i ei bod hi o leiaf wedi gofyn, a theimlwn fod gen i hawl i ychydig o ystyriaeth. Nid oeddwn wedi cyfrannu i'r geni ddim a ddeuai ar gyfyl yr ymrwymiad a roesai fy ngwraig i'r broses, ond gwnes bopeth a allwn, ac yr oeddwn wedi profi'r pryder a ddaw pan ddigwydd rhywbeth i rywun a garwn heb i ni allu gwneud dim ond bod wrth law. Meddwl yr wyf am Joseff.

Dywed Mathew, 'Fel hyn y bu genedigaeth Iesu Grist. Pan oedd Mair ei fam wedi ei dyweddïo i Joseff, cyn iddynt ddod at ei gilydd fe gafwyd ei bod hi'n feichiog o'r Ysbryd Glân. A chan ei fod yn ddyn cyfiawn, ond heb ddymuno ei chywilyddio'n gyhoeddus, penderfynodd Joseff, ei gŵr, ei gollwng ymaith yn ddirgel. Ond wedi iddo gynllunio felly, dyma angel yr Arglwydd yn ymddangos mewn breuddwyd, a dweud "Joseff fab Dafydd, paid ag ofni cymryd Mair yn wraig i ti, oherwydd y mae'r hyn a genhedlwyd ynddi yn deillio o'r Ysbryd Glân. Bydd yn esgor ar fab, a gelwi ef Iesu, am mai ef a wareda ei bobl oddi wrth eu pechodau." Nes ymlaen cawn y geiriau 'A phan ddeffrôdd Joseff o'i gwsg gwnaeth fel yr oedd angel yr Arglwydd wedi gorchymyn, a chymryd Mair yn wraig iddo. Ond ni chafodd gyfathrach â hi hyd nes iddi esgar ar fab; a galwodd ef Iesu'. Dywed Mathew hefyd i Joseff, pan rybuddiodd angel ef i wneud hynny, gymryd ei deulu bach i ffwrdd yn ddiogel i'r Aifft rhag ofn Herod, a gyda hyn fe'u cymerodd yn ôl i Nasareth.

Dywed Luc i Joseff gymryd Mair gydag ef i Fethlehem pan oedd hi'n feichiog, er mwyn iddynt fod yn y lle iawn i gofrestru ar gyfer cyfrif a gymerwyd gan yr awdurdodau Rhufeinig. Dywed iddo ef a Mair fynd â Iesu i'r deml yn Jerwsalem i'w gyflwyno i Dduw. Dywed hefyd fod Joseff a Mair wedi colli Iesu un diwrnod pan oedd yn ddeuddeg, ac iddynt wedyn ei gael yn y deml. A dyna gyfanswm yr hyn a ddywedir am Joseff yn hanesion y geni.

Am nad yw Joseff yn ymddangos yn yr efengylau wedi'r digwyddiad pan aeth Iesu ar goll yn ddeuddeg oed yn Jerwsalem, casglwyd ei fod wedi marw efallai rhywle rhwng hynny a'r amser pan ddechreuodd Iesu ar ei weinidogaeth gyhoeddus tua tri deg oed. Os felly, dyna esboniad arall dros y sylw a gaiff Mair rhagor na Joseff yn y Testament Newydd.

Ond mae gwahaniaeth rhwng ansawdd y cyfeiriadau at Mair ac ansawdd y cyfeiriadau at Joseff. Cafodd Mair ei disgrifio gan angel fel 'un y rhoddodd Duw ei ffafr iddi'. Cyn geni Iesu ymwelodd Mair ag Elisabeth fam Ioan Fedyddiwr pan oedd honno'n feichiog, neidiodd y baban yng nghroth Elisabeth, a chyfarchodd hi Mair fel "mam fy Arglwydd". Ond cyflwynir Joseff i ni, nid fel tad wedi ei gyffroi, heb sôn am dad cyffrous, ond fel un a wna yr hyn y dywedir wrtho am ei wneud, dim mwy, dim llai. Cyflwynir ef fel un cyfrifol iawn, ond nid fel cymeriad diddorol, chwaethach fyth un cyfareddol. Bron na theimlwn mai dyn a gafodd ei ddefnyddio oedd Joseff, offeryn ufudd yn gwneud popeth y dywedwyd wrtho am ei wneud.

Adlewyrchir safbwynt y Testament Newydd yn hanes Cristnogaeth. Yn yr Eglwys Babyddol, prif fynegiant Cristnogaeth y Gorllewin am ganrifoedd, Mair yw 'mam Duw', mae hi ei hun yn ddwyfol, a dylid gweddïo arni hi uwchlaw pawb arall y tu allan i'r Drindod. Ond bach iawn o sylw a gafodd Joseff. Mae gen i lyfr sy'n dwyn y teitl *Men of Hope*, ac yn y mynegai iddo ceir Joseff fab Jacob, a Joseff o Arimathea – ond dim sôn am Joseff tad Iesu. Pregethais innau droeon am y bugeiliaid a'r doethion a Herod a Ioan Fedyddiwr ac Elisabeth a Sachareias a Mair – ond ni phregethais erioed am Joseff!

Nid llythrenolwyr Beiblaidd mo Mathew a Luc, yn ysgrifennu adnodau i rywrai ganrifoedd yn ddiweddarach eu defnyddio i ennill dadleuon, llai fyth ddiwinyddion yn ysgrifennu ar gyfer 'Diwinyddiaeth', neu athronwyr i'r *'Hibbert Journal'*, a llai fyth eto ymchwilwyr meddygol yn ysgrifennu erthyglau gynaecolegol i'r *'Lancet'*. Dynion a chanddynt neges i'w gyflwyno oeddent ac yn edrych am y ffordd orau i'w ddweud. Pregethwyr a chyfathrebwyr oeddent, yn ceisio cyfleu i galonnau a dychymyg eu darllenwyr yn y ganrif gyntaf y peth rhyfeddol hwn a ddaeth i'n byd yng ngeni Iesu.

Eu ffordd o wneud hynny oedd dweud drwy gyhoeddiad yr angel, bod Mair wedi cenhedlu heb adnabod gŵr. Caiff Joseff ei gydnabod yn yr hanes wrth gwrs. Yr oedd rhaid ei gael ef i arddel Iesu yn fab cyfreithiol iddo o leiaf, oherwydd roedd galw i'r Meseia fod yn llinach y brenin Dafydd, a Joseff oedd yn llinach Dafydd (Luc 2:4) nid Mair. Drwy Mair yr oedd Iesu'n Fab Duw, ond drwy Joseff yr oedd yn fab Dafydd.

Gwnaeth hyn oll gymeriad amwys o Joseff, a dengys Frederick Buechner y gweinidog a'r llenor Americanaidd yr amwysedd hwnnw a'r embaras sy'n ei ddilyn mewn erthygl ar Joseff yn ei lyfr *'Peculiar Treasures'*. Dywed fod Mathew'n diweddu ei restr o achau Iesu drwy ddisgrifio Joseff, nid fel tad Iesu, ond fel gŵr Mair, tra bo Luc – *'no less a true believer'*, yn dweud yn ei restr ef o achau Iesu ei fod yn fab i Joseff – er ei fod yn ychwanegu 'yn ôl y dybiaeth gyffredin'. Teitl erthygl Buechner yntau yw *'Joseph, the Husband of Mary'*. Ceidwadol braidd yw ef yn ddiwinyddol, eto awgryma, gan nad yw Iesu i bob golwg wedi ymboeni fawr ynghylch diwinyddiaeth, ei bod yn anodd peidio â chredu na fyddai'n well ganddo ef, er mwyn *auld lang syne*, fersiwn Luc!

Ar y llaw arall, y Nadolig diwethaf derbyniais gerdyn ac arno lun na welais ei debyg, llun hen gynfas di-enw yn eglwys San

Flaviano (11eg ganrif) ym Montefiascone, ar lan llyn Bolsena, i'r gogledd o Rufain. Darlun olew yw o Joseff a'r baban ac eurgylch o gwmpas pen Joseff yn ogystal ag o gwmpas pen Iesu. Ond yng nghanol y cynfas mae rhwyg amlwg, fel pe bai wedi ei drywanu â chyllell. Ai rhywun a deimlai bod arddel Joseff fel yna yn wadiad o'r cenhedlu gwyrthiol, a rwygodd y cynfas? Daw i gof englyn D. Gwyn Evans am Joseff:

Rhaid i wyrth Cred ei wrthod – i achub
Dilychwin wyryfdod;
Pam y fam heb iddo fod
Yn dad i Fab y Duwdod?

Beth bynnag a wnawn ni o hyn oll, canlyniad yr amwysedd yn ei gylch yw i Joseff gael triniaeth chwithig gan y Testament Newydd a chan Gristnogaeth hanesyddol. Sedd gefn a gafodd.

Mae rhai'n hoffi sedd gefn am eu bod eisiau osgoi cyfrifoldeb. Caiff rai sedd flaen mor aml fel nad yw eistedd mewn sedd gefn o dro i dro'n ddim problem iddynt. Gŵyr rhai mai o'r sedd gefn y gellir llywio pethau orau weithiau! Ond mae eraill, wedi eu hamddifadu o sylw, ac yn gystadleuol eu hanian, yn daer am sedd flaen. Heb ei chael fyth, am ba reswm bynnag, gallant dreulio'u bywyd yn eiddigeddu wrth y rhai sydd yn ei chael.

Ond rhai o gymwynaswyr pennaf cymdeithas yw pobl sydd yn fodlon cymryd sedd gefn. Efallai y dylai'r rhai ohonom sy'n amau bod angen dysgu gwneud hynny arnom ni, ymarfer cymryd sedd gefn. Mae a fynno gallu cymryd sedd gefn yn rasol â gwybod y gallwn ni ei wneud, a dim ond wedi ei wneud y gallwn wybod hynny.

A allai Joseff dderbyn yn rasol y sedd gefn a roddwyd iddo gan y Testament Newydd a Christnogaeth? Oni allwn fentro credu y gallai? Yn hwyr iawn yn y dydd, mor ddiweddar â 1870 cyhoeddwyd Joseff gan y Pab Pius IX yn nawddsant yr Eglwys Iwnifersal. Byddwn i wedi ei gyhoeddi'n nawddsant pawb sy'n gallu cymryd sedd gefn!

# *Joseff – Dyn Cyfiawn?*

*'A chan ei fod yn ddyn cyfiawn, ond heb ddymuno ei chywilyddio'n gyhoeddus, penderfynodd Joseff, ei gŵr, ei gollwng ymaith yn ddirgel.'* Mathew 1:19

Cyn i Joseff a Mair 'ddod at ei gilydd', fe'i cafwyd hi'n feichiog medd Mathew (1:18). Wynebwyd Joseff â'r ffaith y byddai 'godineb' ei ddyweddi cyn hir yn amlwg i bawb. Gan fod dyweddi yn ei gymdeithas ef yn gyfystyr â gwraig, yn y sefyllfa honno gallasai Joseff fynnu prawf cyhoeddus o Mair a allai arwain hyd yn oed at ei thranc. Ond yn anfodlon dwyn gwarth arni, penderfynodd ei hysgaru'n ddirgel. Ni allai ei hysgaru'n hollol ddirgel gan y byddai angen dau dyst. Tebyg mai'r hyn a olygai Mathew oedd na chyhuddai Joseff hi ar goedd o odineb, ac felly na fyddai galw arni i sefyll prawf. Nid oedd yn dymuno ei chywilyddio'n gyhoeddus, medd Mathew, oherwydd yr oedd yn 'ŵr cyfiawn'.

Ond safbwynt traddodiadol gwrywod a welai benderfyniad Joseff drwy eu llygaid hwy eu hunain yw hynny, awgrymodd Beverley Gaventa, Athro Testament Newydd yng Ngholeg Diwinyddol Princeton. Cawn ddarlun gwahanol o edrych ar ymateb Joseff o safbwynt Mair meddai. O safbwynt Mair byddai hyd yn oed ei ymateb 'cyfiawn' wedi arwain at ganlyniadau difaol iddi hi a'i phlentyn. Ni fyddai ymbellhau o Joseff oddi wrthi hi yn ddirgel yn dileu ei beichiogrwydd, ac esgorai ar ei phlentyn mewn cymdeithas yr oedd lle menyw ynddi'n dibynnu ar fod lle iddi yn nhŷ rhyw wryw. Ni fyddai gan ei phlentyn dad chwaith, mewn cymdeithas yr oedd hunaniaeth ynddi'n dibynnu ar enw tad.

Ai bod yn eironig oedd Mathew felly wrth alw Joseff yn gyfiawn? Yn sicr, gwna Mathew ddefnydd amwys o'r gair 'cyfiawn'. Dywed fod Iesu'n ei ddefnyddio i ddisgrifio rhai sy'n byw yn ôl ewyllys Duw. Ond dywed fod Iesu hefyd yn rhybuddio'i ddilynwyr bod rhaid i'w cyfiawnder hwy fod yn rhagorach na chyfiawnder yr ysgrifenyddion a'r Phariseaid. Yn ddiddorol hefyd, y gair 'dirgel' a ddefnyddia Mathew wrth ddweud sut y bwriadai Joseff ollwng Mair ymaith, yw'r gair a ddefnyddia yn ail bennod ei efengyl i ddisgrifio gweithred Herod yn galw'r doethion ato i'w holi ynghylch pa bryd yr oedd y seren wedi ymddangos – ac yntau â'i fryd ar wneud niwed i'r baban Iesu! Efallai nad yw adroddiad Mathew o ran Joseff yn nrama geni Iesu mor glir wedi'r cyfan.

Fel Herod, yr oedd Joseff yntau wedi ei syfrdanu gan y newydd am eni Iesu. Dau berson gwahanol iawn, Herod a Joseff, a'r ddau a chanddynt allu i wneud niwed mawr i'r baban Iesu. Bu amser efallai pan na fyddai gan Herod galon i roi'r gorchymyn i ladd pob plentyn dan ddwy flwydd oed ym Methlehem a'r cyffiniau, ond gydag amser, parodd ei swydd, a'i ofnau, iddo ddod yn ddyn a allai wneud hynny.

Tebyg na allai Joseff roi gorchymyn a allasai arwain at farw plentyn i achub ei fywyd. Ond yn ôl Gaventa bu bron â gwneud niwed mawr i'r baban Iesu. Nid bod ganddo fwriad drwg tuag ato wrth gwrs. Un o'n credoau gorsyml yw bod rhaid wrth amcan drwg i wneud drwg. Fel yr adrodda Mathew yr hanes, y rheswm pam y byddai Joseff wedi creu sefyllfa a fyddai'n niweidiol i'r baban Iesu, oedd na olygai'r plentyn ddigon iddo, ac ni olygai ddigon iddo oherwydd ei ofn dealladwy am ei enw da ei hun yn ei gymdeithas.

Pan oeddwn i'n blentyn yr oedd llyfr o'r enw *'Home Doctor'* mewn llawer o gartrefi yn y gymdogaeth, a byddai pobl yn troi ato i geisio deall gwahanol symptomau. Edrychais innau ar ryw eitem ynddo un diwrnod, yna es ymlaen i ddarllen yr eitem nesaf, a'r nesaf, a chyn hir rhyfeddwn fod unrhyw un ar y ddaear yn iach! A phan ystyriwn ofnau, eu nifer a'u mathau, mae cymaint ohonynt, a'r fath amrywiaeth ohonynt, fel ei bod yn anodd credu nad yw pawb ohonom wedi ein parlysu gan ofnau. Mae ofnau corfforol megis ofn tân, mae ofnau seicolegol, megis ofn methiant, ac mae ofnau ysbrydol, megis ofn euogrwydd neu ddiffyg ystyr.

Nid oes gennym reolaeth dros bob ofn. Disgwyliaf y bydd ofn uchder arnaf fi tra bwyf fyw. Ond gallwn reoli rhai ofnau, ac nid oes fawr sy'n bwysicach na'n bod yn rhoi'r ofnau hynny mewn trefn hierarchaidd. Heb wneud hynny byddwn mewn perygl o gael ein tarfu gan yr ofn cyntaf a ddaw heibio, a thrwy hynny byddwn efallai'n anffyddlon i ofn dyfnach a mwy dyrchafol ynom sydd â rhywbeth pwysicach i'w ddweud wrthym.

Cofiaf adegau pan symudais i ymlaen yn y broses o roi ychydig o drefn ar fy ofnau i. Un oedd wedi marw 'nhad, pan ddeallais mai'r rheswm pam nad oeddwn yn tendio'r ardd mwyach oedd nad oedd ef, ac yntau'n arddwr da, o gwmpas o hyd i gymeradwyo fy ymdrechion. Cam bach wedyn oedd sylweddoli bod ofn colli ei gymeradwyaeth mewn materion moesol hefyd wedi fy nghyflyru am hydoedd. Gobeithio y bydd cymeradwyaeth 'nhad yn ddylanwad yn fy mywyd tan y diwedd, ond yr hyn y dylwn ei ofni bennaf yw bod yn anffyddlon i'r gorau a wn i fy hunan! Mae ofnau a all ein darostwng, ac mae ofnau a all ein dyrchafu.

Yn ei olwg ei hun, ac yng ngolwg rhai eraill efallai, yr oedd Joseff yn gwneud yn dda. Ond yr hyn y dywedodd yr angel wrtho oedd, "Joseff fab Dafydd, paid ag ofni cymryd Mair yn wraig i ti, oherwydd y mae'r hyn a genhedlwyd ynddi yn deillio o'r Ysbryd Glân." Efallai na ddaeth ei ddryswch mewnol i ben hyd yn oed wedyn. Rhoddodd Arwyn Evans fynegiant noeth a grymus iawn i'w benbleth posibl:

Ai gwirdduw ei mab gordderch? Ai geirwir,
Ai gwyry 'mhriodferch,
Neu forwyn llwyn a llannerch,
Gwyrth o fam ai gwarth o ferch?

Boed hynny fel y bo, gwahoddodd yr angel ef i gyfnewid am ei ofn rhag colli ei enw da, sef ei ofn rhag bod yn destun gwawd, yr ofn o beidio â bod yn ufudd i alwad uwch.

Mae eisiau gair gwell nag ofn yn y cyswllt hwn nawr efallai. Parch syml efallai. Beth yw'r galwadau uwch sy'n ennyn parch ynom ni? Pe gwypem fwy am barch, parch at ddaear a sêr a gwynt a wybren, pe gwypem fwy am barch tuag at blanhigion a chreaduriaid, tuag at wybodaeth a deall a chelfyddyd, tuag at anrhydedd ac urddas a thosturi a gras, tuag at eni a diniweidrwydd a gwirionedb a'r Duw mawr a wnaeth bob peth, gallem fod yn genhadon gwell dros faban Mair.

# *Y Bugeiliaid*

*'Yn yr un ardal yr oedd bugeiliaid allan yn y wlad yn gwarchod eu praidd liw nos.'* Luc 2:8

Nid yn y bugeiliaid cyffredin 'allan yn y wlad' yr oedd diddordeb y Cristnogion cynnar, ond yn y seryddion egsotig o'r dwyrain. Tynnwyd lluniau o'r seryddion ar waliau'r claddfeydd tanddaearol yn Rhufain lle'r addolai rhai o'r Cristnogion cynnar, ddwy ganrif cyn i luniau o'r bugeiliaid ymddangos arnynt.

Trysorwyd creiriau honedig y doethion hefyd, ond pan ddaeth y Diwygiad Protestannaidd nid oedd hynny o'u plaid . Yr oedd addoli creiriau yn anathema i Brotestaniaid, ac iddynt hwy cymerodd y bugeiliaid le'r seryddion, yn arbennig mewn carolau. Gam a cham fe'u rhamanteiddiwyd, priodolwyd iddynt fwynder eu preiddiau, ac fe'u democrateiddiwyd – edrychwyd arnynt fel symbolau o urddas y gweithiwr cyffredin.

Byddai hyn oll yn ddieithr i Luc. Yn ei ddydd ef, weithiau ystyriwyd bugeiliaid yn anonest. Yn ôl un hen femrwn yr oedd bugeiliaid ar restr y rheiny a ystyriwyd yn anaddas i fod yn dystion mewn llys, oherwydd eu bod yn aml yn pori eu defaid ar diroedd pobl eraill.

Oherwydd i mi yn aml fod yn araf fy ymateb i bethau mawr yn fy mywyd, canmolais y bugeiliaid erioed am iddynt, wedi dod dros eu hofn o weld a chlywed yr angylion, godi a mynd yn syth i weld 'y peth y clywsent amdano'. Nawr fy mod i'n gwybod eu bod yn gymeriadau amheus braidd yn y dyddiau hynny, rhaid i mi ofyn pa mor ddiolchgar oeddent yn y diwedd o esgus i adael eu gwaith am sbel! Boed hynny fel y bo, fe aethant, a chael yr her o orfod ceisio cysoni neges angylion â baban melyngroen yn torri gwynt.

Y bugeiliaid yw'r unig gymeriadau yn straeon y Nadolig y gall y mwyafrif ohonom uniaethu â nhw. Ni allwn uniaethu ag angylion, na seryddion o'r dwyrain, mae Simon ac Anna yn ddieithr o dduwiol, mae Joseff yn gymeriad rhy annelwig, a Mair wedi ei dyrchafu'n ormodol. Eithr pobl gyffredin yw'r bugeiliaid. Codent yn y bore, gwnaent yr hyn a wnaethant y diwrnod cyn hynny, prin y meddylient amdanynt eu hunain fel neb arbennig, yr oedd eu tynged i raddau helaeth yn nwylo pobl eraill, ac nid oeddent heb eu bai.

Pobl oeddent y byddai'n dda ganddynt, mae'n rhaid, gael rhyw awgrym bod mwy i fywyd na chysgu a chodi a gweithio a bwyta ac yfed. Dynion oeddent y byddai'n dda iddynt gael eu cyffwrdd â rhyw ryfeddod i ddyrchafu eu byrdwn dyddiol am dipyn, rhyw gipolwg ar y sanctaidd mewn bywyd, *'a rumour of angels'* a defnyddio teitl llyfr gan y diwinydd Harvey Cox (ond *rumor* a ysgrifennodd ef, er gwaethaf y diferyn o waed Cymreig yn ei wythiennau!)

Clywsant fwy na sibrwd, medd Luc. I bobl felly, wrth eu gwaith, yn gwarchod defaid pobl eraill ar feysydd Bethlehem (praidd yn eiddo i'r Deml yn Jerwsalem gerllaw efallai, ar gyfer aberthau?) ar shifft nos allan yn y wlad, yr ymddangosodd 'dyrfa o'r llu nefol' yn moli Duw. Pobl na fuont erioed mewn cyngerdd yn eistedd mewn sedd flaen yn rhad ac am ddim gerbron côr o angylion! Ni wyddent beth oedd ar waith ond cyn dechrau cawsant esboniad gan angel a oedd yn llywydd y noson.

Daeth iachawdwriaeth iddynt, medd yr angel, ac fel gwarant nad neges dwyllodrus oedd hyn, yr oedd arwydd i gyrchu ato – baban mewn preseb mewn cadachau. Iesu yn arwydd? Ond mae arwyddion yn bwysig. Ar ddiwedd gaeaf chwiliwn am arwyddion o'r gwanwyn – y dydd yn ymestyn, y tymheredd yn dechrau codi, lili fach y gwanwyn yn torri drwy'r pridd. Chwiliwn am arwyddion mewn perthnasau personol, bod rhywun yn hoffi'r anrheg a roesom iddynt, neu eu bod wedi maddau i ni y cam a wnaethom iddynt, neu eu bod eisiau i ni aros yn hirach yn eu cwmni. Edrychwn am arwyddion o ddiwedd i ryw gyflafan, arwyddion nad ydym yn llwyr o dan ormes ffawd, nad fel y mae pethau y mae'n rhaid iddynt fod am byth, bod ysbryd rhyddid a chyfiawnder ar gerdded yn ein byd ni.

I raddau yr ydym yn byw ar gefn arwyddion, ac yr oedd y baban Iesu'n arwydd nad un yn trafod y cread o bellter diogel yw Duw, ond un a'i fys yn ein potes dynol ni. Yr oedd y baban yn arwydd bod Duw'n ymddiried mewn newydd-deb a diniweidrwydd a bregusder. Mae'r baban Iesu'n arwydd hefyd ei fod yn iawn i fod yn arwydd. Un tro ceisiai aelodau eglwys fach helpu pobl anghenus yn eu cymdogaeth. Gwneud yn dda, ond y broblem mor anferth fel na chaent fawr o effaith arni, a digalonnent. Yna un o'r aelodau'n mynd ymlaen mewn oedfa i weddïo, ac atgoffa pawb drwy ei gweddi nad setlo problemau'r byd i gyd oedd eu galwad, ond bod yn arwydd o'r hyn y deallent oedd yn ewyllys Duw.

Rhoddodd yr angel fraw i'r bugeiliaid i ddechrau, ond wedyn fe'u rhoddodd ar y ffordd, ac i wneud yn sicr eu bod wedi deall yn iawn, tynnodd ddarlun iddynt – "...cewch hyd i'r un bach wedi ei rwymo mewn dillad baban ac yn gorwedd mewn preseb." Dyna a gymer weithiau i ni ddynionach weld gwirionedd achubol, cael llond bol o arswyd i ddechrau – trawiad ar y galon, ofn cael ein dal yn rhyw drosedd, braw rhag colli rhywun. Yna rywun i'n pwyntio i'r cyfeiriad iawn, ac i dynnu llun i ni. Pethau felly a all beri i ni wella ein dull o fyw – i weithio ar briodas, i fod yn rhiant gwell, i adael perthynas afiach, i fod yn berson o ddifrif.

Gwnaeth pregethwyr erioed fôr a mynydd o'r ffaith bod Luc yn dweud nad oedd lle i Iesu yn y llety – 'yn y gwesty' medd y cyfieithiad Cymraeg diweddaraf (*carafanserai* efallai, ystafelloedd o gwmpas canolfan agored – *motel* y cyfnod hwnnw). Ond nid yw Luc yn mynd ymlaen i ddweud yn union ble y ganed Iesu. Mae hen draddodiad mai mewn ogof y ganed ef. Yr oedd y traddodiad hwnnw mor gryf erbyn y bedwaredd ganrif fel mai dros gyfres o ogofau ym Methlehem y codwyd basilica Cystennin yn 325 i nodi man ei eni. Ond nid yn lleoliad ei eni na'r ffaith nad oedd lle iddo yn y gwesty yr oedd diddordeb Luc, ond ym mha le y gosodwyd ef. Ymddengys mai er mwyn cael Iesu i'r preseb y dywedodd nad oedd 'lle yn y gwesty', oherwydd unwaith yn unig y defnyddia'r ymadrodd hwnnw, ond sonia am y preseb dair gwaith mewn deg adnod!

Beth allai fod mor bwysig ynghylch y preseb? Un o gwynion Duw yn erbyn ei bobl yn ôl Eseia (1:3) yw, 'mae gan yr ych berchennog, a gŵyr yr asyn am breseb ei Arglwydd, ond nid adwaen Israel mohonof fi, nid yw fy mhobl wedi fy neall'. Dweud y mae Luc, bod y bugeiliaid, wrth fynd i'r preseb, a gweld Iesu, yn flaenffrwyth y rhai a ddaw i'r man lle y gwelant hwythau'r Iesu y mae Duw drwyddo'n rhoi maeth a chynhaliaeth i'w bobl.

# *Simeon ac Anna*

*'...yr oedd dyn yn Jerwsalem o'r enw Simeon...'* Luc 2:25
*'Yr oedd proffwydes hefyd, Anna...'* Luc 2:36

Yn ychwanegol at Ioan Fedyddiwr, mae dau gymeriad arall yn hanes y geni sy'n anghofiedig mewn pasiantau ac ar gardiau Nadolig, a bron yn gwbl absennol o gerddi a lluniau clasurol Nadoligaidd – a hyd yn oed pregethau – sef Simeon ac Anna. (Un bardd yn unig sy'n eu henwi yn 'Nadolig y Beirdd'.)

Ceir eu hanes yn Luc 2:22 – 38. Y cefndir yno yw 'puredigaeth' Mair, a 'chyflwyno' o'r baban Iesu. Yn ôl Lefiticus 12:1 yr oedd gwraig wedi esgor yn aflan am ddeugain niwrnod (wyth deg niwrnod os merch a aned iddi), ac ni châi fynd i'r cysegr yn y deml hyd nes ei phuro. Pris ei phuredigaeth oedd rhoi oen a cholomen – dwy golomen os na allai fforddio oen – i offeiriad yn y deml. Pan mai mab cyntaf-anedig a aned, heblaw ei enwaedu ymhen wyth niwrnod, rhaid oedd ei 'gyflwyno' i Dduw wedi tri deg un o ddyddiau am ei fod yn 'sanctaidd i'r Arglwydd'.

Yr oedd gwraidd yr arfer hwnnw yn y pla diwethaf cyn i'r Israeliaid yn yr Aifft ddianc oddi wrth Pharo o dan arweiniad Moses, pan fu farw pob gwryw cyntaf-anedig Eifftaidd, ac arbedwyd pob gwryw cyntaf-anedig ymysg yr Israeliaid. Am amser wedi hynny cymerai meibion cyntaf-anedig yr Israeliaid ran mewn gwasanaethau defodol, ond wedi i'r Lefiaid gymryd eu lle yn y gwaith hwnnw, tyfodd yr arfer o'u cyflwyno i Dduw yn y deml yn Jerwsalem, ac yna eu 'hadbrynu' drwy dalu pum siecl i offeiriad yno.

Defnyddia Luc y ddau arfer hyn i ddod â'r Iesu i'r deml, yn unol â phroffwydoliaeth Malachi (3:1) – 'fe ddaw'r Arglwydd yr ydych yn ei geisio i mewn i'w deml'. Wedi ei gael i'r deml, yno, medd Luc, yr oedd Simeon ac Anna. Mae geiriau Simeon yn awgrymu bod ei fywyd ef yn dod i ben, a dywedir wrthym bod Anna yn wyth deg a phedwar. Gall y testun olygu bod Anna wedi bod yn weddw am wyth deg pedwar o flynyddoedd. Byddai hi wedyn yn gant a thri. Tynnu sylw at ei henaint mawr oedd amcan Luc medd un esboniwr. Dau berson oedrannus beth bynnag.

Byddai'n ddiddorol gwybod sut bersonau oedd y ddau ohonynt yn eu hieuenctid! Erbyn hyn beth bynnag, un 'cyfiawn a duwiol' oedd Simeon medd Luc. Cawsai ddatguddiad na welai farwolaeth 'cyn gweld Meseia'r Arglwydd', ac arweiniodd yr Ysbryd ef i'r deml pan ddaeth rhieni Iesu ag ef yno. Cymerodd y bychan yn ei freichiau, a'i eiriau cyntaf oedd y gantigl, y *Nunc Dimittis*, ac ynddi dywed 'y mae fy llygaid wedi gweld fy iachawdwriaeth'. Dywedir wrthym am Anna na adawai'r deml mwyach, ond addoli ddydd a nos, yn ymprydio a gweddïo. Disgrifir hi hefyd fel proffwydes – yr unig un a ddisgrifir felly yn y Testament Newydd, er bod menywod eraill yno'n proffwydo. Dywedir wrthym iddi ddiolch i Dduw, a siarad am y plentyn wrth bawb a oedd yn 'disgwyl rhyddhad Jerwsalem'.

Wrth fendithio Duw, dywed Simeon y byddai Iesu 'yn ddatguddiad i'r Cenhedloedd, ac yn ogoniant i'th bobl Israel', ond dywedodd wrth Mair hefyd fod ei baban wedi ei osod 'er cwymp a chyfodiad llawer yn Israel'. Mae Simeon felly'n rhagfynegi dwy thema sy'n rhedeg drwy'r efengyl sy'n dilyn, sef nad yw iachawdwriaeth bellach yn gyfyngedig i'r Iddewon, ac nad digon yn wyneb dyfodiad y Meseia yw bod yn Iddew. Ychwanega wrth Mair, gan gyffwrdd â thema arall i ddod yn yr efengyl, 'a thithau, trywenir dy enaid di gan gleddyf'.

Eithr prif neges yr hanes am Simeon ac Anna yw eu bod wedi gweld mai Iesu oedd 'iachawdwriaeth' Duw, neu yng ngeiriau Anna, 'rhyddhad Jerwsalem'. Dewisodd Luc y ddau hyn i gyflwyno'r neges honno am eu bod yn cynrychioli math arbennig o dduwioldeb yn eu dydd. Yn ôl un esboniwr, mawlgan i'r math hwnnw ar dduwioldeb yw hanes y cyfarfyddiad rhwng Simeon ac Anna a'r baban Iesu.

Duwioldeb yw a gysylltir â'r *Anawim*, y bobl y cysylltodd Luc Mair â nhw yn y *Magnificat* – yr iselradd, y tlodion, y cleifion, y gweddwon, yr amddifaid, pobl na allent ymddiried yn eu nerth eu hunain ac a oedd felly'n gwybod eu bod yn llwyr ddibynnol ar Dduw. Ond cysylltir duwioldeb Simeon ac Anna â'r deml hefyd –'*temple piety*' yw, ys dywed esboniwr arall, sef cadw'r gyfraith yn fanwl, dod â rhoddion i'r deml, bod yn ffyddlon i'r 'moddion'.

Golyga duwioldeb bethau gwahanol mewn mannau ac ar adegau gwahanol. Yn ein dyddiau a'n cymdeithas ni, gair yw a gysylltir yn aml nawr â'r ansoddeiriau 'sych' a 'ffug', ac os nad hynny, yr hyn a olyga i lawer yw ymwneud â materion cyfyng, mewnblyg a dibwys. Prin y bydd neb heddiw'n falch o gael ei ddisgrifio'n dduwiol, a phrin felly y dywedwn am neb bellach ei fod yn dduwiol. Byddwn yn debycach o siarad nawr am 'ysbrydolrwydd' rhywun. Eto, gan y defnyddir y gair duwiol yn yr hanes am Simeon ac Anna, cadwaf finnau ato yma nawr.

Mae dau begwn i dduwioldeb Cristnogol. Un yw duwioldeb sy'n canolbwyntio ar y byd y tu allan i'r Eglwys. Yn nhridegau'r ganrif ddiwethaf, diffiniodd y merthyr Almaeneg Dietrich Bonhoeffer Gristion fel un sy'n taflu ei hunan i mewn i ganol anawsterau a phroblemau bywyd a cheisio atebion iddynt. (Ceisio cyweirio dehongliad o 'fod yn Gristion' yn yr Almaen ar y pryd, a olygai gau llygaid i'r peryglon gwleidyddol a moesol a ddilynai arweiniad Hitler yr oedd ef.) Esgorodd pwyslais Bonhoeffer ar yr ymadrodd 'duwioldeb bydol', ymadrodd a gafodd gryn ddylanwad. Erbyn heddiw, mewn cyfnod ôl-fodern y daeth byd cred i ben ynddo, ystyria llawer mai'r ffordd i fynegi ffydd yw drwy ymateb i broblemau'r byd o'n cwmpas – gofal am yr amgylchedd, sefyll yn erbyn anghyfiawnder ac ati.

Y pegwn arall yw duwioldeb y mae byd crefydd ei hun yn ganolbwynt iddo, duwioldeb eglwysig sy'n troi o gwmpas 'y cysegr' a'i ddefodau, a themâu ffurfiol crefydd ac ymarferion ysbrydol. Mae pawb ohonom mae'n sicr yn adnabod rhai sy'n coleddu'r math hwnnw o dduwioldeb. Pa ddydd ceisiais olrhain nodweddion tri neu bedwar o bobl felly yr wyf fi yn eu hadnabod ac yn eu parchu'n fawr.

Pobl ydynt na feddant fwy na mwy o bethau'r byd hwn, ond nid yw allanolion bywyd yn eu menu. Pobl wylaidd, digymleth, yn deall yn reddfol nad oes dim pwyso a mesur yn ein hymwneud â Duw. Gwerthfawrogant unrhyw ddaioni pa le bynnag a chan bwy bynnag y ceir ef, ac maent yn gymharol anfeirniadol – eto heb fod yn naïf. Maent wedi eu harfogi yn erbyn siom gormodol yn eu hunain am eu bod wedi hen gwympo ar eu bai ym mhob dim y gallai eraill eu beirniadu yn eu cylch, ond maent yn nodedig o oddefgar tuag at eraill. Gwrandawyr hynod a all fynd gyda llif sgwrs rhywun arall ydynt. Byddant yn aml yn rhyfedd o anwybodus ynghylch straeon angharedig am eraill, oherwydd yn eu cwmni nhw bydd pobl sy'n lledu straeon felly yn tueddu ymdawelu. Personau rhydd ydynt yn anad dim, rhydd oddi wrth ormes yr hunan, a gormes pethau, a gormes barn eraill. Nid ydynt y math ar bersonau y bydd y mwyafrif yn debyg o ofyn iddynt ddod i fywhau parti, a byddai llawer iawn yn teimlo'n anghysurus iawn yn eu cwmni.

Efallai y dylem bawb geisio meddwl am bobl 'grefyddol-dduwiol' y daethom ni ar eu traws ac y mae gennym barch atynt, a cheisio disgrifio trosom ein hunain pa bethau a welwn ni ynddynt y cydnabyddwn eu bod yn rhagoriaethau. A hyd yn oed os ydym ni ymhlith y rhai sy'n anghysurus yng nghwmni pobl felly, nid yw'n ddi-bwys ein bod yn dal cyswllt â dau neu dri ohonynt, gofalu eu bod yn bresennol yn ein bywyd ni yn rhywle. Weithiau y math o bobl sy'n 'grefyddol-dduwiol' a all weld i fêr ambell fater o'r pwys mwyaf. Felly y credai Luc am Simeon ac Anna beth bynnag.

# *Y Seryddion*

*'Wele, daeth seryddion o'r Dwyrain...'* Mathew 2:1

Dywed Mathew fod seryddion o'r Dwyrain wedi honni iddynt weld seren 'ar ei chyfodiad'. Seren brenin yr Iddewon oedd hi meddent (yr unig dro i'r teitl hwnnw gael ei roi i Iesu ar wahân i'r geiriau uwch ei ben ar y groes), ac aethant i Jerwsalem a holi am ei fan geni, er mwyn iddynt ei addoli. Clywodd Herod am hyn, a dywedodd y prif offeiriaid a'r ysgrifenyddion wrtho mai Bethlehem, yn ôl y proffwyd Micha, oedd man geni'r Meseia. Galwodd y seryddion ato, fe'u danfonodd i Fethlehem, ac yna fe'u harweiniwyd gan y seren o Jerwsalem i Fethlehem, nes iddi 'aros uwchlaw'r man lle'r oedd y plentyn.' O fyd natur y cafodd y seryddion eu gwybodaeth gyntaf am eni Iesu, ond rhaid oedd iddynt gael arweiniad yr Ysgrythurau Iddewig i ddod o hyd iddo.

Wedi iddynt ddychwelyd i'w gwlad heb ymateb i'w gais am ddod yn ôl ato a dweud wrtho ble y cawsant ef, gorchmynnodd Herod ladd bechgyn 'dwyflwydd oed neu lai' er mwyn lladd Iesu. Er i ni eu rhoi gyda'r bugeiliaid wrth y preseb yn ein pasiantau Nadolig, aeth amser heibio wedi'r geni mae'n rhaid cyn i'r seryddion gyrraedd Bethlehem.

Y gair amdanynt yng Ngroeg gwreiddiol y Testament Newydd yw *'magoi'*, gair anodd i'w gyfieithu. Yn Gymraeg gelwid hwynt gynt yn ddoethion, ond yn y Beibl Cymraeg Newydd yn sêr-ddewiniaid, ac yn yr Argraffiad Diwygiedig o hwnnw, yn seryddion.

Yn ôl un traddodiad, dewiniaid twyllodrus oeddent (gw. Actau

13:6-11), yn cael eu harwain i roi offerynnau eu dewiniaeth, yr aur a'r thus a'r myrr, wrth draed Iesu yn arwydd o ildio iddo. Trechwyd eu gallu medd yr Athro W. D. Davies, gan ddyfodiad Crist, fel y gorchfygwyd dewinwyr a swynwyr yr Aifft gan Moses (Exodus 7:8-12).

Yn ôl traddodiad arall, cysylltiedig â Salm 72:10-11, brenhinoedd oeddent, ac awgrymwyd Persia neu Babylon neu Arabia'n gartref iddynt. Ni ddywed Mathew sawl un oedd. Dau oedd yn ôl un traddodiad, a deuddeg yn ôl un arall, ond ymhen amser, oherwydd mai tair anrheg a roddasant i'r baban, daethpwyd i gredu mai tri oedd.

Bu'r dychymyg Cristnogol ar waith ar y seryddion yn gynnar. Cawsant enwau, a chawsant nodweddion personol a ddarluniwyd gan artistiaid. Hen ŵr â gwallt a barf gwyn yw Melchior (y doethaf o dipyn mae'n rhaid), dyn croenddu â barf mawr yw Belthasar, a dyn ifanc di-farf bochgoch yw Gaspar. (Enwau eraill sydd iddynt yn Eglwys Uniongred y Dwyrain). Cysylltwyd eu rhoddion ag agweddau o berson Iesu – brenin, Duw, gwas dioddefus.

Y mae iddynt greiriau honedig a deithiodd ymhellach nag a wnaeth y seryddion. Fe'u cymerwyd yn 490 o Bersia i Gaergystennin gan yr Ymherawdr Seno, cymerwyd hwynt yn ddiweddarach i Milan yn yr Eidal, cymerwyd hwynt wedyn i Gwlên yn yr Almaen yn 1162 yn rhan o ysbail Barbarossa, ac yno y maent heddiw mewn creirfa odidog yn yr eglwys gadeiriol yno. (Nid dyna ben eu teithio chwaith, yn 1903 danfonwyd rhai ohonynt yn ôl i Milan!)

Mae'n ddiogel dweud mai pobl ar y blaen ym myd dysg eu cyfnod fyddai'r seryddion. Nid i wybodusion yn unig nac yn bennaf y mae'r Efengyl wrth gwrs, ond byddai'n drist pe na allai gwybodusion ei derbyn, a phe na allai meddylwyr Cristnogol ddal eu tir yn y byd ymenyddol. Cofiaf y pleser o ddarllen i Karl Barth, diwinydd Protestannaidd mawr yr ugeinfed ganrif, ddisgrifio traethawd Dietrich Bonhoeffer ar yr Eglwys am ei ddoethuriaeth, fel 'gwyrth ddiwinyddol'. (Mae rhagor rhwng doethuriaeth a doethuriaeth!)

Nid oedd straeon am sêr yn cyhoeddi geni brenin, a rhai'n

teithio ymhell i anrhydeddu ffigwr o bwys, yn ddieithr yn yr hen fyd, a gallasai'r stori am y seryddion dyfu'n rhwydd ynghylch geni Iesu. Rhan o gefndir stori Mathew yw'r hanes yn yr Hen Destament (Numeri 22-24) am Balaam. Rhyw fath ar *magos* o'r Dwyrain oedd ef. Proffwydodd y deuai gŵr allan o Israel a deyrnasai dros genhedloedd lawer, disgrifia ef fel seren yn codi. a chymhwyswyd ei eiriau i'r Meseia cyn geni Iesu.

Ysgrifennodd Mathew ei efengyl ef i eglwys yn gymysg o Iddewon a Chenhedloedd. Wedi gwrthryfel Iddewig yn erbyn y Rhufeiniaid yn chwedegau'r ganrif gyntaf, dinistriwyd teml Jerwsalem, daeth Phariseaeth yn brif awdurdod mewn Iddewiaeth, a chynhwyswyd melltith yn erbyn Iddewon Cristnogol yn un o brif weddïau'r synagog. Lleihaodd nifer yr Iddewon a ymunai â'r Eglwys ond ar yr un pryd bu cynnydd yn nifer y Cenhedloedd a ymunai â'r Eglwys. Amcan Mathew wrth adrodd stori'r seryddion oedd dangos nad oherwydd methiant cynllun Duw ar gyfer yr Iddewon y deuai mwy o'r Cenhedloedd mewn i'r Eglwys, ond eu bod yn rhan o gynllun Duw o'r dechrau – fel y dengys ymweliad y seryddion. (Heddiw, yn eglwysi'r Gorllewin, dethlir amlygiad Crist i'r Cenhedloedd – ym mhersonau'r seryddion – ar Ionawr 6, gŵyl yr Ystwyll.)

Yn ei nofel *'Helena'*, rhydd Evelyn Waugh olwg arall eto ar y seryddion. Yn 312, cafodd yr Ymherawdr Rhufeinig, Cystennin Fawr, weledigaeth o'r groes, a dechreuodd ffafrio Cristnogaeth. Un canlyniad oedd i Helena ei fam fynd ar bererindod i Balestina. Honnid mai hi drefnodd codi eglwys ar fan ei eni. Yn Eglwys y Dwyrain cofir hi yn gydradd â'r Apostolion ar Fai 21, a chofir hi ar Awst 18 gan Eglwys Rufain.

Yn llyfr Waugh, cyfarcha Helena y seryddion: – "Fel finnau, yn hwyr y daethoch. Cyrhaeddodd y bugeiliaid o'ch blaen. Yn araf a gofalus y daethoch chi, yn mesur trywydd y sêr, yn cyfrif, yn dyfalu, lle rhedodd y bugeiliaid yn droednoeth!"

Gofynna Helena iddynt weddïo am dri math ar bobl tebyg iddynt hwy mewn rhywbeth a'u gwna hwythau'n bobl a chanddynt ffordd hir ac anodd i'w dilyn tua'r gwir.

Y math cyntaf yw'r rheiny y mae gwybodaeth a deall yn rhwystr iddynt. Mae i wybodaeth a deall eu peryglon. Gall llwyddiant ddod drwyddynt heb i hynny alw am aeddfedrwydd personol. Yn *'A History of Time'* canmola Stephen Hawking Isaac Newton y gwyddonydd, ond dywed mai dyn anodd oedd. Gall byd gwybodaeth a deall fod yn un clodfawr yn ogystal, a dyna demtasiwn i falchder. Mae'n fyd elitaidd hefyd – ni all pawb fod yn hyddysg a chlyfar. Bri, balchder, elitiaeth, nid yr elfennau mwyaf cynorthwyol ar gyfer deall gwirioneddau y diolchodd Iesu i'w Dad am eu dangos i 'rai bach'.

Yr ail fath yw pawb sydd mewn perygl o wneud niwed drwy fod yn gwrtais. Hola Helena y seryddion ynghylch cam diwethaf eu pererindod, gan ateb ei chwestiwn: "Beth wnaethoch chi? Aros i alw ar Herod, a chyfnewid cwrteisi peryglus" – cwrteisi a fu bron â dinistrio'r baban yr oeddent yn ei geisio. Heb gwrteisi, gall bywyd fod yn arw ac anwaraidd, ond gall cwrteisi hefyd lywio'n hymddygiad pan fydd hynny'n ymateb anaddas.

Yn y ffilm *'Lawrence of Arabia'*, â Lawrence mewn i glwb swyddogion y Fyddin Brydeinig gydag Arab ifanc sydd newydd achub ei fywyd. Archeba sudd oren iddo, a ffroma'r swyddogion yno, oherwydd nid oes hawl gan frodorion i fod yn y clwb. Gwna Lawrence safiad. Nid wyf yn sicr y gwnawn i hynny. Cwyd sefyllfaoedd weithiau lle y gall awydd i fod yn gwrtais beri i ni fradychu egwyddor bwysicach.

Y trydydd math yw'r rheiny a arweinir i berygl oherwydd eu doniau. Llwyddodd rhai pobl dalentog iawn – y cerddorion Haydn a Bach er enghraifft – i fyw bywydau cymeradwy. Ond arweiniodd eu talent rai pobl i'w niweidio eu hunain ac eraill. Priododd T. S. Eliot ei wraig gyntaf, Vivienne, yn rhannol er mwyn i'w dalent farddonol gael deunydd a'i galluogai ef i ysgrifennu o brofiad am gyffroadau mewnol dwfn, ond bu'n briodas ddinistriol. Ac a oedd gwaith Dylan Thomas yn cyfiawnhau'r pris y talodd ef ac eraill amdano o achos ei ffordd o fyw?

Efallai fod gennym ninnau dalent. Nid oes rhaid iddi fod nac yn fawr nac yn artistig. Gall fod yn dalent i wneud arian, i redeg busnes, i wleidydda. Pa bryd y mae'n iawn i ddweud 'na' i dalent?

Mae gan Helena ragor o eiriau i'r seryddion: "Daethoch, ac ni'ch trowyd ymaith. Yn nhrefn y cariad a oedd newydd ddod yn fyw, yr oedd lle i chithau wrth y preseb." Ac wrth sôn am y rhai y mae ffydd yn fater hir a chymhleth iddynt, ymbilia hi ei hun, "Nac anghofier hwy'n llwyr wrth orsedd Duw pan ddaw'r syml i'w teyrnas hwy".

# *Arswyd*

*....a daeth arswyd arnynt.* Luc 2:9

Mae ofn iawn yn rhan naturiol o fywyd. Greddf ynom sy'n cyfrannu at ein diogelwch ni yw, rhybudd o berygl. Gallwn wynebu'r perygl neu beidio, ond dywed ofn wrthym ei fod yno.

Gall ildio i rai mathau ar ofnau leihau ein dynoliaeth, fel pan fydd ofn cael ein hanafu yn peri i ni ddal yn ôl mewn perthynas, neu pan ymwrthodwn â menter adeiladol rhag i ni fethu, a thrwy hynny ymddangos yn ffôl.

Gall ofn ddyfnhau'n dynoliaeth hefyd. Gall ofn y perygl o fynd yn hyf ar bethau roi i ni barch addas tuag atynt. Mewn cyfnod nad yw ymatal yn gryfder naturiol ynddo, mae gwasgfa arnom oll tuag at hyfdra ar fywyd. Gwelwn y duedd wrth gymharu'n diwylliant ni â diwylliant rhai o lwythau'r Indiaid Cochion, a diwylliant ambell grefydd megis Hindŵaeth. Mae llai o 'barch' at fywyd heddiw nag erioed, ac aeth y gair 'parch' ei hun yn air o bwys mewn gwleidyddiaeth bellach, parch at hunan, at gymdogion, at athrawon, at weithwyr cymdeithasol, at leiafrifoedd.

Yn ei athroniaeth soniai Albert Schweitzer am 'barch at fywyd'. Nid osgo a ddaw yn rhwydd i bawb mo hyn. Ganed rhai â natur mwy ymwthiol os nad ymosodol nag eraill. Gall galwadau gwaith ategu'r duedd honno ynddynt, ac mae'n rhaid bod awyrgylch ymwthiol gwyddonol yr oes yn ddylanwad ar ein meddyliau i gyd. Gorfodi'r cread i ateb cwestiynau a ofynnwn ni iddo yw un o ddulliau gwyddoniaeth.

Mae rhyw fathau ar ofn yn rhan annatod o grefydd hefyd, yn un o amodau ein hymwneud gweddus ni â Duw. Dywed Mair am Dduw yn y *Magnificat* – 'y mae ei drugaredd o genhedlaeth i genhedlaeth i'r rhai sydd yn ei ofni ef.' A phan ddywed Luc am y bugeiliaid yn gwylio'u praidd a gogoniant yr Arglwydd yn disgleirio o'u hamgylch, gwelwn yr hyn a ystyriai Luc yn ymateb addas, naturiol, cychwynnol i ymddangosiad fel yna – 'daeth arswyd arnynt.'

Gellir camddefnyddio ofn yn y byd crefyddol. Yr oedd hynny'n bwnc yr ymgodymem ag ef o bryd i'w gilydd yn yr Ysgol Sul yr awn iddi'n ifanc. Y cydgyswllt fel arfer oedd y teimlad bod defnyddio ofn uffern i gael pobl i ddod at ffydd wedi bod yn rhan rhy amlwg o grefydd yn y gorffennol. (Wedi dweud hynny, rhaid cydnabod y gall pobl ddod at ffydd mewn unrhyw ffordd. Cof gennyf am ddyn a oedd yn Gristion mor aeddfed fel y gofynnais iddo un diwrnod sut y dechreuodd ar ei bererindod. Ei ateb oedd iddo golli dau blentyn yn fuan wedi priodi, ei fod wedi meddwl, os yw uffern yn waeth na hynny, nad oedd ef eisiau mynd yno, a dechreuodd fynd i'r cwrdd.)

Eithr cytunem yn yr Ysgol Sul bod y fath beth â 'parchus ofn', a bod lle i hwnnw mewn crefydd. Ofn yw hwnnw na ddylem adael iddo yn y diwedd ein parlysu chwaith. Wedi i arswyd ddod ar y bugeiliaid dywedodd yr angel wrthynt "Peidiwch ag ofni."

Rhaid pwyso a mesur pa bethau y dylem eu hofni, a dysgu pa fathau ar ofnau y dylem ildio iddynt bob amser heb amodau. Nid oes cof gennyf i mi glywed y gair 'moeseg' gydol fy astudiaethau diwinyddol cyntaf, heb sôn am gael cynnig cwrs yn y maes. Flynyddoedd yn ddiweddarach, dyma ddod yn fyfyriwr diwinyddol eto am gyfnod, mewn coleg arall mewn gwlad arall. Yr oedd cwrs mewn moeseg ar gynnig yno, a heidiai'r myfyrwyr ato, yn edrych am atebion i'w problemau moesol (diwedd y 60au oedd hi!). Ond erbyn i'r cwrs ddod i ben yr oedd y mwyafrif ohonynt yn siomedig. Cwrs oedd i rai'n dechrau astudio'r pwnc, a'r hyn a ddysgasom oedd nid beth sy'n iawn neu beidio, ond beth yw ffynonellau egwyddorion moesol.

Er i mi ddysgu am nifer o ffynonellau egwyddorion moesol ar y cwrs hwnnw, yn yr eglwys gyntaf i mi weinidogaethu iddi y dysgais am un ffynhonnell bwysig iawn. Un o'r aelodau yno oedd menyw nad oedd hi ddim fel pawb arall. Yr oedd yn fyr a thrwm, yr oedd tyllau yng ngwadnau ei hesgidiau, a'u sodlau wedi eu treulio'n ddim. Yr oedd ei dillad yn anniben, nid oedd ganddi fawr o ddannedd ei hun ac ni fynasai ddannedd gosod. Bob wythnos deuai i'r cwrdd gweddi, a mynnu dod ymlaen i ddarllen, yr un adnodau, wythnos ar ôl wythnos ar ôl wythnos. Yr oedd yn amlwg mai gwneud argraff ar ei gweinidog oedd ei chymhelliad.

Deuthum i'r cwrdd gweddi un noson yn flinedig wedi diwrnod caled, a bu bron i mi ddweud gair angharedig wrth May. Wedi mynd adref y noson honno gwawriodd arnaf mor arswydus fuasai hynny! Sylweddolais bryd hynny mai mwy i'w hofni na'r cryf a'r grymus a'r pŵerus, mwy i'w hofni na'r gwybodus a'r galluog a'r craff, yw'r diniwed, y gwirion, y bregus. Y maent i'w hofni nid oherwydd yr hyn y gallant hwy ei wneud i ni, ond oherwydd yr hyn y gallem ni ei wneud iddynt hwy, ein brodyr a chwiorydd diamddiffyn. Hwy yw'r mesur o'n hansawdd fel bodau dynol. Yn ddiarwybod iddynt, hwy yw'n beirniaid.

Mae'r Nadolig, wrth gysylltu Duw â baban, yn wahoddiad i ni ofni cwmni arbennig o rai diniwed a gwirion a bregus, sef plant bach. Efallai nad ydym wedi dechrau deall beth a phwy yw Duw hyd nes ein bod yn arswydo rhag gwneud cam â phlant. Nid ein plant ni, neu blant ein plant ni, neu blant Cristnogion, neu blant gwyn, ond plant, plant brown a du a choch a melyn a gwyn, plant tlawd a chyfoethog a sâl ac iach, plant Iddewig a Phabyddol a Mwslimaidd a Phrotestannaidd, plant o Irac a Phalestina a Simbabwe a Rwsia a Siapan a Nicaragua.

Gallai hynny olygu gofyn beth sy'n digwydd i blant yn ein cymdogaeth ni. Gallai olygu ystyried pa fath ar gymdeithas fyddai yn ein gwlad pe gwnaem les plant yn ffon fesur wrth asesu'n trefniadau cymdeithasol ac economaidd a gwleidyddol. Gallai olygu gofyn pa fath ar drefniadau rhyngwladol fyddai gennym ar gyfer ein byd pe caem ein gyrru gan arswyd rhag niweidio plant. Gallai olygu gwrando ar eiriau sylfaenydd *'Save the Children'*, Eglantyne Jebb, a ddywedodd, "Mae rhyfel, pob rhyfel, cyfiawn neu anghyfiawn, aflwyddiannus neu fuddugoliaethus, yn rhyfel yn erbyn plant".

Nid mater academaidd, damcaniaethol mo hwn. Mae miliynau o blant yn dioddef yn y byd. Yn Affrica, India, Tseina, De America. Am eu bod yn newynu. Am nad oes ganddynt gartrefi. Am nad oes meddyginiaethau elfennol ar gael iddynt. Am nad oes ganddynt ddŵr glân i'w yfed. Am i'w rhieni farw o AIDS. Am eu bod yn dysgu defnyddio drylliau cyn dysgu darllen llyfr. Mae plant yn dioddef yn ein gwlad ninnau hefyd. Am mai plant yw eu rhieni. Am eu bod o dan ddylanwad cyffuriau yn y groth. Am mai *Barbies* a *Rambos* yw eu teganau. Am fod oedolion mewn swyddi cyfrifol yn eu defnyddio i foddio'u chwantau rhywiol.

Cymerodd lluoedd o oedolion y Gorllewin eu pleser ers tro, gan archwilio eu hunaniaeth a'i faldodi. Maent wedi profi o'r bywyd da, wedi mynnu eu hawliau, wedi dringo eu hysgolion, wedi cymryd eu rhyddid. Yr ydym ni oedolion y Gorllewin wedi adeiladu byd ar gyfer ein harchbersonau ni ein hunain. Mae'n bryd i blant gael eu tro nawr.

Mae'n bwysig i bob un ohonom ystyried sut y gallwn ni'n bersonol gyfrannu at ddiogelwch cyrff a meddyliau ac eneidiau plant, sut y gallwn ni wneud y byd yn well iddynt. Pan fyddwn ni'n bobl ddifrifol a fydd, oherwydd ein bod yn arswydo rhag gwneud cam â nhw, yn pleidio lles plant, gallwn fod yn fwy sicr o un peth nag y gallwn o ddim arall – bydd yr angylion hynny yn y nefoedd y dywedodd Iesu eu bod bob amser yn edrych lawr ar rai bach, a gyda'r rheiny bob angel yn hanesion y geni, yn canu a chanu a chanu a chanu – 'heb ddiwedd byth i'r gân'.

# *Goleuni*

*'...goleuni i fod yn ddatguddiad i'r Cenhedloedd ac yn ogoniant i'th bobl Israel.'* Luc 2:32.

Llinell o gantigl Simeon, y *Nunc Dimittis*, yw'r geiriau uchod, a'r goleuni yw geni Iesu. Nod amgen barddoniaeth yw delweddau. Mae rhai parau o ddelweddau mor sylfaenol fel y gellid cynnwys bywyd dynol i gyd y tu mewn i'w cwmpawd. Rhydd hynny iddynt urddas cyntefig. Un o'r parau hynny yw tywyllwch a goleuni. Yn yr hanes am y creu yn y bennod gyntaf o Genesis cawn y geiriau, 'ac yr oedd tywyllwch ar wyneb y dyfnder....A dywedodd Duw, "Bydded goleuni."' Rhagdyb geiriau felly yw fod yna dywyllwch sylfaenol y mae angen ei oleuo. Pa dywyllwch sylfaenol yr oedd geni Iesu yn ei oleuo?

Darllenais erthygl dro'n ôl a godai'r cwestiwn, pa amser o'r dydd y ganed Iesu. (Math ar gwestiwn yr hoffwn pe bawn wedi ei godi fy hunan!) Gwyddom iddo gael ei eni ym Methlehem Jwdea. Gwyddom hefyd iddo gael ei eni 'yn nyddiau Herod frenin' – ond gan i Herod farw yn y flwyddyn 4 C.C. rhaid rhoi dyddiad cynharach i'w eni na'r un traddodiadol. Mae awgrym hefyd, gan fod y bugeiliaid pan ymddangosodd yr angel iddynt 'allan yn y wlad yn gwarchod eu praidd liw nos', y gallai hynny olygu bod y tywydd yn fwyn, ac felly mai rhywle rhwng Mawrth a Hydref y digwyddodd y geni.

Ar ryw ystyr, mae holi ynghylch union awr geni Iesu braidd yn ddi-bwynt, ac eto, gall cwestiwn di-bwynt weithiau arwain y meddwl ar hyd drywydd bendithiol. Ni fyddai'n gwbl amhosibl gwybod pa amser o'r dydd y ganed Iesu gan i Mair ei fam berthyn i'r cwmni bychan o'i ddilynwyr a ymgasglodd yn Jerwsalem wedi ei atgyfodiad, a gallasai hi fod wedi dweud hynny wrth rywun. Efallai y gwnaeth hi hynny, ond nid oes neb wedi estyn yr wybodaeth ymlaen i ni. Tybed a wyddai Iesu ei hun? Mae'n syndod cymaint o bobl y gwn i amdanynt na wyddant ar ba adeg o'r dydd y'u ganed.

Nid bywgraffiadau yw'r efengylau. Mae deunydd bywgraffiadol ynddynt, ond mae llawer o bethau y carem eu gwybod am Iesu'n absennol ohonynt hefyd, megis pa mor dal oedd ef, ac ai llais tenor neu lais bas oedd ganddo. Dywedant iddo gael ei groeshoelio ar ddydd Gwener, a dywedant iddo farw am dri o'r gloch y prynhawn. Tuedda ysgolheigion gytuno mai Ebrill 7 oedd dyddiad mwyaf tebygol y croeshoelio, ac os felly, gan mai ar y trydydd dydd wedyn yr atgyfodwyd ef, dyddiad hynny oedd y Sul, Ebrill 9. Gwyddom yn fras hefyd yr amser y darganfuwyd y bedd gwag – 'Ar y dydd cyntaf o'r wythnos, ar doriad gwawr...' medd Luc (24:1), ond ni wyddom pa amser yr atgyfododd.

Ni ddywed yr efengylau beth oedd dyddiad na diwrnod geni Iesu, na pha ran o'r dydd – heb sôn am ba awr, y ganed ef. Parodd y ffaith mai 'liw nos' yr oedd y bugeiliaid yn 'gwarchod eu praidd' i rai gredu mai yn y nos y ganed ef, a thrwy gysylltu ei eni â chymal yn 'Doethineb Solomon' (llyfr apocryffaidd) credwyd mai hanner nos oedd yr union awr.

Clywais ddweud y gall fod yna awgrym o ba adeg o'r dydd y ganed person, yn ei natur, neu'n fwy penodol, bod a fynno cyflymder personol rhywun weithiau ag amser ei eni. Hynny yw, os yw person yn gyflym ei ffordd, yna siawns mai'n gynnar yn y dydd y ganed ef, ac os yw'n araf ei ffordd, yna siawns mai yn hwyr yn y dydd y ganed ef. Cyflymder yn y cyswllt hwn yw pethau fel, ateb pobl cyn iddynt ddod i ben â gofyn eu cwestiynau, gorffen bwyd cyn i neb arall wneud hynny, neu guro wrth ddrws tŷ cyn i'r lleill yn y cwmni adael y car eto. (Fe'm ganed i am dri y bore bach!)

Yn ôl y rhesymeg honno, a derbyn y darlun traddodiadol ohono, ni aned Iesu cyn y prynhawn o leiaf, oherwydd yn ôl y darlun hwnnw, nid un cyflym ei leferydd neu ei symudiadau oedd

Iesu, ond un a lefarai'n araf a gofalus, ac a gerddai o gwmpas yn bwyllog ac urddasol iawn. Eithr ysgubodd Dennis Potter y darlun hwnnw allan o'm dychymyg i'n llwyr drwy ei ddarlunio yn y ddrama deledu *'Son of Man'* fel dyn brysiog, cynhyrfus, ac i mi dyna ddiwedd ar y dybiaeth i Iesu gael ei eni yn y prynhawn neu wedyn.

Pe bai rheidrwydd arnom i ddyfalu ynghylch amser geni Iesu felly, gallem ddewis unrhyw amser o'r dydd neu'r nos, ond gwnâi synnwyr i ddewis amser sydd yn symbol o rywbeth. Eithr symbol o beth? Symbol o'r elfen bwysicaf yn yr efengyl? Ond am fod yr efengyl mor fawr, a'i natur mor gymhleth, mae'n anodd gwneud gosodiad fel mai hyn neu'r llall yw'r peth pwysicaf ynddi – ar wahân i ddweud rhywbeth cyffredinol iawn. Er hynny, mentraf awgrymu mai un ffordd o fynegi hanfod yr efengyl yw dweud ei fod a fynno â gweld pob person ar y ddaear yn gyfwerth, neu a'i roi yn iaith ffydd, yn blentyn i Dduw.

Felly y gwelai Iesu bersonau eraill. Edrychai'r Iddew â dirmyg ar wragedd ac ar Samariaid, ond arddelodd Iesu wraig o Samaria – er mawr ofid i'w ddisgyblion. Canmolodd Iesu ffydd milwr Rhufeinig, gormeswr estron yn ei wlad, ar draul ffydd Iddewon, pobl Dduw. Cyfeillachodd â 'casglwyr trethi a phechaduriaid' hefyd. Mae'r pwyslais cynhwysfawr hwnnw yn hanesion y geni eto. Y sôn am fenywod yn achau Iesu ar ddechrau efengyl Mathew, rhai ohynynt heb fod yn Iddewon – a rhywbeth cymhleth-amheus ynghylch eu hanes personol. Gwahanol fathau o bobl wedyn yn ymgasglu o gwmpas y baban, y bugeiliaid – gweithwyr cyffredin o Iddewon, y seryddion – dysgedigion Cenhedlig, Simeon ac Anna – hynafgwyr crefyddol. Ond beth sydd a fynno hyn oll ag amser geni Iesu, heb sôn am natur y tywyllwch y daeth ef i'w oleuo?

Un diwrnod, gofynnodd hen rabbi i'w bobl, sut gallent ddweud bod y nos wedi dod i ben a'r dydd wedi gwawrio. "Ai pan welwch chi greadur yn y pellter ac y gellwch ddweud pa un ai ci ai dafad yw?" gofynnodd un. "Na" meddai'r rabbi. Gofynnodd un arall, "Ai pan ellwch weld coeden yn y pellter, a gwybod ai coeden ffigys neu balmwydden yw hi?" "Na" meddai'r rabbi eto. "Wel pryd 'te", gofynnodd y bobl. "Mae'n wawr", meddai'r hen rabbi, pan ellwch chi edrych ar wyneb unrhyw wryw neu fenyw a gweld mai eich brawd neu eich chwaer sydd yno. Oherwydd os na ellwch chi weld hynny, mae'n dal i fod yn nos arnoch chi."

Gyda'r wawr y ganed Iesu fe ddywedwn i. Neu a defnyddio amser Iddewig, ar yr awr gyntaf. Yr amser pan ddaw'r nos i ben, pan fo'r dydd yn dechrau, yr haul yn codi, goleuni'n trechu'r tywyllwch.

# *Llawenydd*

*"Yr wyf yn cyhoeddi i chi y newydd da am lawenydd mawr a ddaw i'r holl bobl."* Luc 2:10

Dyna ddisgrifiad yr angel i'r bugeiliaid o ddyfodiad Iesu i'n byd. Ond beth yw llawenydd? Mae'n bwysig gwybod, oherwydd yn ôl un diwinydd, gelyn pennaf ffydd y Cristion heddiw yw stoiciaeth, athroniaeth sy'n golygu cadw trefn ar fywyd a'i broblemau drwy dderbyn popeth yn ddi-gŵyn a dewr. Mae'n ymateb aruchel i'n tynged ar y ddaear, ond ei berygl yw fod trefn, pan wneir ef y gwerth uchaf, yn cau allan yr hyn a eilw'r diwinydd hwnnw'n resymeg y gorlif, ac un o ffrwythau'r rhesymeg honno yw llawenydd. Â ymlaen i haeru nad Cristnogion mewn gwirionedd yw llawer iawn sy'n ystyried eu hunain yn Gristnogion heddiw, ond stoiciaid, pobl yn gwybod pa bethau i'w dweud ac yn gwybod sut i ymarweddu'n iawn, ond sy'n bobl aflawen.

Ffordd rhai athronwyr-iaith ym Mhrydain ddechrau'r ganrif ddiwethaf o ddeall ystyr ambell air oedd ei gyferbynnu â geiriau tebyg iddo. I ddeall beth yw llawenydd gallwn ninnau ei gyferbynnu â geiriau sy'n perthyn i'r un teulu ag ef, y geiriau sbri a phleser a hapusrwydd er enghraifft.

Sbri yw hwyl dros dro, ac mae ei achos yn agos i'r wyneb. Nid yw'n ymwneud â chyfanrwydd person, ac nid yw'n para'n hirach na'i achos. Nid yw pleser eto'n ymwneud â pherson cyfan, rhywbeth corfforol sy'n perthyn i'r synhwyrau yw. Pleser yw bwyta cig moch a bara lawr i frecwast ar fore oer, neu orwedd yn ddigyffro ar draeth yn yr haul. Nid yw yntau chwaith yn para'n hirach na'i achos, ond yn y cof.

Nid yw hapusrwydd mor ddibynnol ar brofiadau dros dro ag y mae sbri a phleser, felly gall bara'n hirach. Ond dibynna i raddau helaeth ar amgylchiadau allanol – mae'n anodd bod yn hapus yn wyneb caledi mawr. Gall fod a fynno â phersonoliaeth hefyd – hyd yn oed personoliaeth genedlaethol! Yn ei lyfr *Surprised by Joy*, mae C. S. Lewis, wrth ddisgrifio teulu ei dad fel gwir Gymry, yn golygu mai un o'u nodweddion oedd eu bod yn rhai *'who had not much of a talent for happiness'*. Ond sonia am deulu ei fam, a oedd yn Saesnes, fel *'a cooler race'* – *'they had the talent for happiness in a high degree – went straight for it as experienced travellers go for the best seat on the train'*!

At ei gilydd mae'n amheus gen i ai eisiau bod yn hapus y mae pobl ifainc chwaith. Onid yw'n ystad rhy llonydd, marwaidd hyd yn oed, i'r ifanc? Yn ei hunangofiant 'Ar Draws ac ar Hyd' disgrifia John Gwilym Jones ei fywyd – gyda thristwch? – fel 'un diliw (*sic*) o hapus'.

Yn sgîl cyfyngiadau ystyron y geiriau 'perthnasol' yna, a ellid awgrymu mai rhai o nodweddion llawenydd yw – ei fod yn rhywbeth dwfn, parhaol, sy'n ymwneud â'r person cyfan, ac sy'n gyffrous?

Mae cof byw gen i am wylio ar y teledu oesoedd yn ôl dimau rygbi Prifysgolion Rhydychen a Chaergrawnt yn chware eu gêm flynyddol yn erbyn ei gilydd un prynhawn dydd Mawrth. Chwaraewyr Caergrawnt oedd y ffefrynnau o ddigon y flwyddyn honno. Nid oeddent hwy wedi colli'r un gêm drwy'r tymor, a thymor digon beth'ma gawsai Rhydychen hyd hynny. Yr oedd chwaraewyr Caergrawnt at ei gilydd yn fawr yn gorfforol hefyd, a rhai ohonynt eisoes yn enwog, ond nid oedd na'r un cawr na'r un enw adnabyddus yn nhîm Rhydychen.

Rhoddodd chwaraewyr Caergrawnt eu stamp ar y gêm o'r dechrau, gan sgorio cais yn syth a'i throsi. Pum pwynt. (Y cyfrif o dan yr hen drefn.) Wedyn trosodd eu maswr gic adlam – pedwar pwynt arall. Naw dim. Edrychai'n dywyll ar Rydychen. Yna dyma faswr Rhydychen yn trosi cic adlam, ac yn sydyn, er fy mod wrth fy hunan, dyma fi ar fy nhraed, yn gweiddi mewn gorfoledd. Wedi i mi ddod at fy iawn bwyll, ystyriais mewn syndod yr hyn a oedd newydd ddigwydd. Er i mi fyw yn un o gadarnleoedd rygbi, yn Llanelli, a'm bod i'n mwynhau gwylio rygbi'n fawr, nid yw'n arfer gen i ddangos dim teimlad o gwbl bron wrth wylio hyd yn oed gêmau pan fo Cymru'n ennill y blaen ar Loegr! Felly y'm gwnaed, er mawr siom i'm gwraig a fyddai'n prancio o gwmpas fel ebol blwydd pe sgoriai Cymru gais yn erbyn Gwlad yr Iâ! Eto, yr oeddwn i wedi colli fy mhwyll wrth wylio gêm rhwng Caergrawnt a Rhydychen.

Ni fûm yn fyfyriwr yn y naill goleg na'r llall. Brysiaf i esbonio na chefais fy ngwrthod gan yr un ohonynt, nid oeddwn erioed wedi ymgynnig am le ynddynt, er, wrth edrych yn ôl, buaswn yn falch i allu dweud nawr i mi fod yn fyfyriwr naill ai yn Peterhouse, coleg hynaf Caergrawnt, ond uwchlaw pob dim, y coleg y bu John Penry'n fyfyriwr ynddo, neu Goleg yr Iesu, Rhydychen, a sefydlwyd gan Elisabeth y Cyntaf ar gyfer *'the sons of the Welsh nobility'*!

Pam yr holl gyffro y prynhawn hwnnw felly, a minnau heb deyrngarwch i'r naill le na'r llall? Ond yr oedd yna deyrngarwch yn y cawl yn rhywle, teyrngarwch dwfn ac anweledig ar y pryd. Teyrngarwch oedd i garfan o gyd-fforddolion yn ymdrechu mewn gornest heb argoel bod ganddynt unrhyw obaith o lwyddiant, cwmni o bobl yr oedd pawb a phopeth yn darogan eu methiant. Y prynhawn hwnnw, am ychydig, heb i mi ddeall hynny, i mi yr oedd tîm Rhydychen yn ficrocosm o'r hyn a ystyriwn i oedd hanfod y cyflwr dynol – a'm cyflwr innau felly – yn y bôn.

Mae cymaint yn ein herbyn ni ddynionach. A phan welais Rydychen i mewn yn y gêm am ychydig a chanddynt obaith, cefais foddhad a gyfatebai i awydd dwfn ynof sydd yn rhan o'n dynoliaeth ni bob un mae'n rhaid, yr awydd dwys i gredu bod gan bobl ymhob man a chyflwr ryw siawns neu obaith mewn bywyd.

Anobaith yw cydgyswllt llawenydd, ac ymateb i'r hyn sy'n anobeithiol yn ein tynged ddynol yw'r Nadolig. Neges yw ynghylch posibilrwydd gwell er gwaethaf pob cyfrif yn ei erbyn. Neges yw ynghylch gobaith, gobaith am dderbyniad terfynol personol, gobaith am gyfiawnder a heddwch i'r byd, gobaith am iechyd y cread a pharch iddo. Nid yw'r Beibl yn ateb ein holl ddymuniadau, ond dywed wrthym pa bethau y dylem eu dymuno. A dylem ddymuno rhai pethau er ein bod yn gwybod na chawn foddhad llwyr ganddynt yn y byd hwn. Dyna yw llawenydd ei hun, medd C. S. Lewis – *'an unsatisfied desire which is itself more desirable than any other satisfaction.'*

# *Amser*

*'….. geiriau a gyflawnir yn eu hamser priodol.'* Luc 1:20

Dyma eiriau a ddywedwyd gan yr angel Gabriel wrth Sachareias wedi iddo wrthod credu ei neges ynghylch geni mab – Ioan Fedyddiwr – iddo ef a'i wraig Elisabeth. Soniant am fath arbennig o amser, amser priodol.

Y mae gwahaniaeth rhwng amseroedd yn eu hansawdd wrth gwrs. Nid yr un amser yw bore Llun a phrynhawn dydd Gwener, nid yr un yw amser yn y gwaith ac amser ar wyliau. Fel y dywedodd pob pregethwr gwerth ei halen ar goedd rywbryd neu'i gilydd rwy'n sicr, mae dau air yng Ngroeg y Testament Newydd sy'n mynegi gwahaniaeth sylfaenol rhwng amseroedd. *'Chronos '* yw un, a olyga amser cyffredin a fesurir mewn munudau ac oriau. *'Kairos'* yw'r llall, a olyga amser a fesurir yn ôl ei briodoldeb ar gyfer rhywbeth, megis 'amser i ladd gwair', neu 'amser i briodi'. *Kairos* yw'r gair a ddefnyddiodd Luc yn y testun uchod. Amser a fydd yn amser 'priodol' i eiriau Gabriel i Sachareias gael eu cyflawni.

Rhaid i ni wrth *chronos* wrth gwrs, oherwydd *chronos* sy'n ei gwneud hi'n bosibl i ni drefnu'n bywyd. Af i'r gwaith yfory erbyn naw, mewn mis awn ar ein gwyliau am bythefnos, ac yn y blaen. Ond mae arnom angen *kairos* hefyd, sef amser ystwyth, amser y gall pethau ddigwydd ynddo na all ddigwydd mewn amser nad yw'n ddim ond *'chronos'*.

Gall amser fod yn *kairos* am ein bod ni yn rhyw fan y mae pobl yno yn gweld amser yn wahanol i'r ffordd y gwelwn ni amser.

Gwyliau iawn yw bod yn rhyw fan fel yna meddai J. B. Priestley. Gall amser fod yn *kairos* oherwydd ein bod ni mewn amgylchfyd y mae'n patrwm byw arferol ni'n amherthnasol ynddo. Gall amser felly fod yn amser o ymryddhau dwfn. Flynyddoedd yn ôl cymerodd meddyg o Lundain ugain o bersonau'n byw mewn sefydliad nad oeddent wedi ei adael ers blynyddoedd, i lan y môr am wythnos o wyliau. Nid oedd neb wedi clywed yr un ohonynt yn yngan gair ers blynyddoedd, ond erbyn diwedd yr wythnos yr oedd deuddeg ohonynt wedi dweud ychydig o eiriau!

Dylem greu *kairos* i ni ein hunain weithiau, a gwn am rai sydd â'r egni a'r dychymyg i wneud hynny'n aml. Ond rhoddir *kairos* i ni o bryd i'w gilydd, amser y mae'n annaturiol os nad yn amhosibl dilyn patrymau byw arferol ynddo – pan ddaw cwymp o eira mawr, pan ddaw hen ffrind nas gwelsom ers hydoedd heibio'n annisgwyl, pan fydd hi'n Ŵyl y Banc.

Y math yna ar amser yw cyd-gyswllt cyflawni nid yn unig neges Gabriel i Sachareia, ond cyd-gyswllt cyflawni holl neges y Nadolig, a bob blwyddyn cynigia'r Nadolig y math yna ar amser i ni. Hyd yn oed pan ildiwn i ddylanwadau masnachol y Nadolig, gwyddom yn ein calonnau mai â thangnefedd a llawenydd a chariad Duw y mae a fynno'r ŵyl mewn gwirionedd. Oherwydd hynny, er yr yfed a'r cyfeddach a'r gorfwyta a'r gor-wario, gall pobl fod yn fwy hael, yn fwy ystyriol, yn fwy meddylgar adeg y Nadolig. Mae'r pethau yr ydym yn eu cydnabod ond heb eu gwireddu ar adegau eraill yn fwy real, cawn ein troi tuag at yr uchaf a'r gorau, tuag at yr hyn yn y diwedd a'n gwna'n llawen.

Yn llyfr Kenneth Grahame *'The Wind in the Willows'*, un noson Nadolig dychwela Mole adref wedi cyfnod o anturiaethau. Y noson gyntaf gartref â i'w wely, a chyn hir mae ei ben ar ei obennydd, mewn bodlonrwydd a llawenydd mawr. Ond cyn cau ei lygaid, edrycha o gwmpas ei hen ystafell, ar bethau cyfarwydd a chyfeillgar a fu'n rhan anymwybodol ohono ers amser, ac a'i derbynia yn ôl nawr a gwên. Gŵyr y bydd rhaid iddo ddychwel gyda hyn i'r byd mawr y tu allan. Ond mae'n dda ganddo feddwl bod hwn ganddo i ddod yn ôl ato, y lle hwn 'a oedd yn eiddo llwyr iddo ef ei hun'.

Bob Nadolig mae llaweroedd yn ailadrodd profiad Mole. Wedi

anturiaethau oddi cartref, dychwelant, o goleg efallai, neu o waith a bywyd mewn man pell, i ryw fan sy'n parhau'n gartref iddynt yn llythrennol efallai, neu i le y daliant i feddwl amdano fel cartref er iddynt wneud cartref arall bellach. Ac o gwmpas gwelant hen bethau cyfarwydd, yn llawn atgofion, hen luniau a llyfrau, lliain bwrdd, llestri a chadeiriau, ac efallai eu hen ystafell eu hunain nad yw eu rhieni wedi ei newid fawr ers iddynt adael.

Bydd rhai nad ydynt wedi symud i ffwrdd, ond sydd wedi gadael capel neu eglwys, yn dychwelyd i gapel neu eglwys adeg y Nadolig, efallai dim ond i weld eu plant neu eu hwyrion yn cymryd rhan mewn oedfa. Math ar ddod adref yw hynny hefyd weithiau, dod yn ôl i gartref eglwysig wedi 'anturiaethau' mewn mannau eraill, ac ymwybod yn yr hen 'gartref' â phethau cyfarwydd, pulpud a sedd y teulu ac organ a llyfr emynau a ffenestri lliw, a hanesion y Nadolig, a phasiant-plant y buont hwythau'n 'un o'r doethion o ddwyrain y festri' ynddo pan oeddent yn fach. A dônt gan wybod ym mêr eu hesgyrn, hyd yn oed os nad ydynt wedi dod ers amser, eto bod tŷ Dduw yn llawn cymaint o gartref iddynt hwy ag yw i neb arall sy'n ei ddefnyddio'n gyson.

Yr oedd Mole yn dychwelyd i amser yn ogystal â lle, oherwydd dod adref adeg y Nadolig yr oedd. Amser y down adref iddo yw'r Nadolig i ninnau hefyd. Yr ydym wedi ei ddathlu o'r blaen. Yr ydym wedi edrych ar wyrddni a chanhwyllau ac wedi gwrando ar garolau cyfarwydd a hen ddarlleniadau yn y gorffennol, pethau sy'n rhan anymwybodol ohonom ni ydynt, ac sy'n ein derbyn yn ôl yn llawen. Mae hefyd yn amser i ni lawn cymaint ag yw i neb arall.

Mae dod adref i'r Nadolig yn ddod adref dwfn iawn. Yn ei lyfr *The Sacred and the Profane*, mae Mircea Eliade, diwinydd o Bwcarest a fu'n Athro Hanes Crefyddau ym Mhrifysgol Chicago, yn disgrifio sut mae pobl yn profi amser. Mae amser cyffredin, parhaol meddai, sy'n amser cymharol anniddorol, ond mae hefyd amser gwahanol sy'n arwyddocaol iawn, fel pan fo person yn disgwyl anwylyd, neu'n dathlu pen-blwydd. Sôn am *kairos* y mae wrth gwrs, ond ei fod ef yn ei alw'n '*Significant Time*', amser sy'n ein gwneud yn fwy dynol ac sy'n ein dyrchafu.

Y math mwyaf arwyddocaol ar *'Significant Time'* medd Eliade, yw amser cysegredig. Ar draws y byd i gyd mae pobl lawr drwy'r canrifoedd wedi cadw amseroedd cysegredig meddai, amseroedd sy'n ddathliad atgofus o amser cychwynnol a grëwyd gan y duwiau. Mae amseroedd felly yn ail-greu rhyw amser cryf, pur, sy'n peri bod pobl am y tro yn byw yng nghwmni'r duwiau.

Mae i amser cysegredig strwythur gwahanol i amser bydol. Gellir ei ailadrodd yn ddiddiwedd, oherwydd nid yw byth yn newid – gyda phob dathliad ohono byddwn yn darganfod ei fod yr un fath ag oedd pan ddathlwyd ef flwyddyn yn ôl neu hanner canrif yn gynt. Mae gadael amser bydol a mynd i mewn i amser cysegredig yn golygu darganfod pwy yr hoffem fod, sy'n wahanol iawn efallai i bwy ydym yn ein bywyd bob dydd. O'r holl greaduriaid, bodau dynol yn unig sy'n gorfod darganfod beth y carent fod, a dychwel adref yw'r darganfod hwnnw hefyd.

Kairos yw adeg y Nadolig, wrth gwrs, *'significant time'* y byddwn ynddo, drwy gefnu dros dro ar ein gorchwylion bob dydd fel y gwnaeth y bugeiliaid, wrth offrymu anrhegion fel y gwnaeth y seryddion, wrth ganu mawl fel y gwnaeth y llu nefol, wrth 'ddweud y stori' fel y gwnaeth Anna a Simeon, yn ailfyw yr amser cryf, pur, dechreuol hwnnw. A dyna un ffordd o deimlo 'Duw gyda ni'.

# *Duw Mewn Cadachau*

*'..wedi ei rwymo mewn dillad baban...'* Luc 2:12

Mae Cristnogion drwy'r canrifoedd wedi gweld geni Iesu fel rhywbeth mwy na dolen gyswllt mewn proses, digwyddiad y mae ei ystyr i'w weld dim ond mewn datblygiadau diweddarach, megis dysgeidiaeth Iesu, a'i groeshoelio, a'i atgyfodi. Maent hefyd wedi gweld y geni ei hun yn fynegiant annibynnol o wirioneddau mawr am Dduw.

Un yw'r syniad anghyffredin y gellir cysylltu Duw Hollalluog mewn modd tyngedfennol â baban diymadferth. A ninnau wedi eu cysylltu cyhyd, gall gorgynefindra â'r hanes wneud dirnad goblygiadau'r cyswllt yn anoddach nag a sylweddolwn.

Gall sawl peth arall ein rhwystro rhag dirnad arwyddocâd y cysylltu hynod hwn o Dduw â baban. Ein hanaeddfedrwydd personol i ddechrau. Nid damcaniaeth i'w meistroli'n feddyliol yw hyn, wrth gwrs, ond digwyddiad i nesu ato drwy sensitifiti a rhyfeddod. Ni all neb felly fyw'n gibddall a diddychymyg a disgwyl deall ystyr y Nadolig. Gall balchder yn arbennig ein rhwystro. Os ydym wedi clymu'n gobaith wrth rwysg hudolus, neu ysblander gweledig, neu symbolau grym, yna gall ffocws y Nadolig ar blentyn fod yn wasgfa arnom i ymwadu poenus â llawer sydd ynom.

Ond un o'r rhwystrau mwyaf i werthfawrogi'r Nadolig yn ei lawnder yw'r syniad o Dduw'n mynegi ei hun y tu mewn i derfynau bodolaeth baban. Nid yw'r syniad o Dduw'n cael ei gyfyngu, yn cydweddu â'r synied amdano a fu'n ganolog yn hanes meddyliol ein byd ni. Diffiniai athroniaeth Groeg Dduw drwy negyddu cyfyngiadau dynol. Mae dyn, er enghraifft, yn *thanatos*, yn farwol, a chan mai *'a'* yw'r rhagair negyddol mewn Groeg, mae Duw yn *athanatos*, yn anfarwol. Cafodd y diffinio hwn o Dduw drwy negyddu pob terfyn dynol y gwyddom ni amdano, ddylanwad mawr ar feddwl y Gorllewin ynghylch natur Duw.

Ar ben hynny, mae'r syniad o derfynau o dan warchae yn ein diwylliant ni. Gwthio terfynau yn ôl yw un o hen brosiectau dynoliaeth, ond cafodd hwb mawr yn y byd cyfoes. Ceisia athletwyr rhedeg a neidio a thaflu a nofio yn gyflymach neu ymhellach, mae hwylwyr ac ehedwyr yn anelu at amgylchu ein byd mewn llai o amser, technolegwyr yn gwthio terfynau materol ein byd yn ôl, dyngarwyr yn eiddgar i roi ergyd farwol i'r terfynau a esyd newyn a thlodi ar boblogaeth y byd deheuol, gwyddonwyr yn estyn allan y tu draw i derfynau ein daearen ni i adnabod a chyrraedd sêr a phlanedau.

Mae gan Gristnogaeth lawer i'w ddweud ynghylch ymestyn terfynau. Dywedodd Iesu, yn ôl Efengyl Ioan, "Yr wyf wedi dod er mwyn i ddynion gael bywyd, a'i gael yn ei holl gyflawnder." Yn ei lythyr at y Philipiaid, dywed Paul, "Y mae gennyf gryfder at bob gofyn trwy yr hwn sydd yn fy nerthu i." Yn y tair canrif gyntaf yn hanes yr Eglwys, llwyddodd dilynwyr Iesu i ddioddef yn well, i fyw yn well, ac i feddwl yn well na dilynwyr crefyddau eraill eu dydd, a gwneud hynny drwy ragori ar yr hyn y credent hwy eu hunain y gallent ei gyflawni. Dro ar ôl tro mewn canrifoedd diweddarach hefyd galluogwyd Cristnogion gan eu ffydd i estyn terfynau cymdeithasol drwy ddiddymu sefydliadau fel caethwasiaeth a ymddangosai'n anorchfygol.

Ond mae gan Gristnogaeth lawer i'w ddweud ynghylch cydnabod terfynau hefyd, a dygymod â nhw, oherwydd mae rhai ohonynt yn rhan anochel o fywyd. Wedi i ni wthio terfyn ar ôl terfyn yn ôl, bydd terfynau'n bod wedyn, a mwy na digon ohonynt. Buont yno erioed, ac effeithiant ar bawb. Mae etifeddeg a magwraeth ac anffawd a diffyg cyfle'n rhoi terfynau personol arnom. Daw rhai terfynau atom yn ffurf dewisiadau na allwn osgoi eu gwneud, hyd yn oed os nad oes yr un o'r opsiynau a gynigiant wrth ein dant. Down ar draws derfynau yn ein perthynas ag eraill: ni allwn orfodi neb i'n derbyn ni, chwaethach i'n parchu a'n caru. Mae bywyd hefyd yn gwasgu arnom y neges na all neb fod yn bopeth i neb arall heb sôn am i bawb arall. Ni allwn osgoi heneiddio chwaith, ac ni allwn fyw am byth ar y ddaear yma.

Beth wnawn ni ynghylch terfynau bywyd? Claddu'n pennau yn y tywod a chymryd arnom nad ydynt yn bod? Rhamanteiddio bywyd a byw ym myd ffantasi? Gadael iddynt ein digalonni a rhoi iselder ysbryd i ni? Neu adael iddynt ein cynhyrfu fel yr ymdeimlwn byth a hefyd â cham, a rhaid i eraill wedyn gerdded o'n cwmpas fel cerdded ar fasgl wyau?

Dywedodd Pennar Davies wrthyf un tro bod yr iaith Gymraeg yn llai cyfoethog na Saesneg, ond aeth ymlaen i ddweud mai dyna un o'r union resymau pam y mynnai ef farddoni ynddi hi, yn hytrach na'r Saesneg y gallai fynegi ei hunan mor goeth ynddi.

Un o'r pethau cyfareddol ynghylch y bardd R. S. Thomas yw iddo fyw a gweithio gymaint o'i fywyd mewn ardaloedd bryniog lle yr oedd y tywydd yn greulon, y tir yn anraslon, a chymaint o'r bobl yno yn frîd caled, garw, diddychymyg – dienaid hyd yn oed. Byddai ambell offeiriad wedi dygymod â hynny oll drwy fynd drwy'r *'motions'* a chwerwi'n fewnol efallai, neu byddai wedi ceisio ffoi oddi yno i borfa frasach a *clientele* mwy *genteel* ac 'ysbrydol' yn rhywle. Ond er iddo ddyheu am blwyfi eraill mwy Cymreig, wynebodd R. S. Thomas ei breiddiau cyfyng, a'i fydoedd cyfyng, a defnyddio'r union gyfyngiadau hynny i greu cerddi a fu'n fodd iddo weithio drwy noethni a llymder hyd at weledigaeth ddofn o'r natur ddynol a Duw.

Nawr ac yn y man, fy lle i fel gweinidog fu wrth erchwyn gwely rhywun ym mlodau ei ddyddiau a glywsai nad oedd ganddo fawr o amser i fyw. Profiad dyrchafol fu gwrando a gwylio ambell gyd-fforddolyn yn mesur ei hunan yn erbyn y terfyn di-dostur a brawychus hwnnw, yn ceisio gweithio allan sut i beidio â bod yn llwyr ar drugaredd ei gyflwr.

Nid oes yr un ohonom nad yw'n gorfod ceisio harmoni â therfynau ei fywyd personol ac â therfynau'r natur ddynol yn gyffredinol. Mae'r Nadolig yn ein hatgoffa ni, pan geisiwn wynebu rhyw derfyn, pan geisiwn wasgu rhyw ffurf ar gyfyngiadau ein bywyd, ein bod ni, nid ar waethaf hynny, ond drwy hynny, yn *'robed with destiny'* ys dywed Philip Larkin, oherwydd onid mewn baban yn gwisgo cewyn y dewisodd Arglwydd Nef a Daear, y Duw Hollalluog, gychwyn datguddiad o'i gariad i ni na welsom ei fath yn unlle arall?

# *Nerth Mewn Gwendid*

*'..cewch hyd i'r un bach...'* Luc 2:12

Mae crefydd bob amser yn symud rhwng dau eithaf. Ar y naill law, ymwybyddiaeth o bellter anhraethol y Duw arswydus sy'n hollol wahanol i ni, ac ar y llaw arall, yr ymdeimlad y gall Ef ymnesáu atom fel y gallwn ymwneud ag Ef.

Mynegir y ddau begwn mewn cerddoriaeth: ar y naill law y *Gloria* balch sy'n esgyn yn hyderus-fuddugoliaethus ymhell y tu hwnt i'n meddyliau meidrol ni, sy'n ymgodi'n uwch hyd yn oed na'n dychymyg, ac ar y llaw arall, *Stille Nacht* Grüber, yn dawel, yn fwyn, yn isel, yn wylaidd, yn agos. Mewn pensaernïaeth eglwysig hefyd ceir y ddau begwn: ar y naill law, tyrau, pinaclau, bŵau aruchel, yn ymestyn i fyny, yn ymgolli yng nghysgodion tywyll cerrig noeth oer, yn cyfeirio'n sylw oddi wrthym ni ein hunain at Fod pell trosgynnol, ac ar y llaw arall, capeli syml, cartrefol, yn bren cynnes a ffenestri golau sy'n awgrymu agosrwydd gwresog Duw sy'n Fam ac yn Dad i ni.

Mae llawer ymgais yn yr Hen Destament i gymodi'r ddau eithaf yna, yr arwahanrwydd a'r agosatrwydd. Iaith anthropomorffaidd, angylion, doethineb, gair y proffwyd, maent i gyd ar gael ynddo fel pontydd posibl dros y gagendor hwnnw. Ond ni lwyddodd y rhain oll i oresgyn y tensiwn tyngedfennol rhwng pellter Duw â chyfathrach glòs ag ef. Erbyn dyddiau Iesu yr oedd fel pe bai'r broses o ddatguddiad yn aros am hwb creadigol newydd, athrylith crefyddol o bosibl, ar raddfa Moses neu Amos neu Eseia neu Jeremiah, a allai bontio'r gagendor yn ei berson.

Yng ngolwg ei ddilynwyr dyna'r math ar ddigwyddiad oedd dyfodiad Iesu i ddechrau, ond gydag amser gwelent ef fel un yr oedd athrylith crefyddol yn ymdoddi i rywbeth arall, ynddo ef yr oedd y broses o ddatguddiad a aethai ymlaen ers amser hir wedi dod yn uchafbwynt o ddwyster unigryw. Yr oedd yn bersonoliaeth rhy fawr i'w ddarostwng i unrhyw deip crefyddol, ymddangosai'n berson penodol ond eto holl-gynhwysol. Ymarweddai fel enaid nad oedd ynddo ddim anghytgord, un a feddai ar urddas ac unoliaeth grefyddol o'r radd aruchelaf. Ni welent ynddo ddim i'w anghymwyso fel pont rhwng Duw a dynoliaeth. Ynddo ef ymddangosai fod y Duw nad oedd modd ei adnabod yn uniongyrchol, wedi dod yn oddrych profiad. Nadolig yw'r dathlu o'r eiliad dyngedfennol honno pan ymddangosodd ar lwyfan hanes y byd un a gymodai ynddo'i hun eithafion profiadau crefyddol, gogoniant Duw a naturioldeb dyn, dieithrwch yr Hollbwysig a chyffredinedd baban.

Weithiau cyfeiliornwn ni ddynionach ar ochr siarad am Dduw fel pe bai'n byw y drws nesaf i ni, heb ddangos yr un arwydd ein bod yn ymwybod â'i ogoniant, ond mwy cyffredin yw i ni deimlo Duw ymhell. Neges y Nadolig yw fod Duw'n agos, a dengys hynny drwy ei uniaethu ag 'un bach', oherwydd y mae i faban un nodwedd sydd, uwchlaw pob un arall, yn ei gwneud hi'n bosibl i ni nesu ato heb ddim tramgwydd. Nid yw baban yn cystadlu â ni!

Mae ochr adeiladol i gystadlu. Gall gynhyrchu perfformiadau ar lefel na fyddai pobl byth yn ei gyrraedd oni bai am y gwobrau sydd ynghlwm wrth gystadlu. Eithr gall cystadlu fod yn anodd i'w drafod. Bu rhaid i gyfaill a minnau ystyried o ddifrif roi'r gorau i chware golff gyda'n gilydd ar un adeg am fod yr ysbryd cystadleuol yn y ddau ohonom yn bygwth ein cyfeillgarwch! Gall cystadlu weithiau dynnu'r gwaethaf allan ohonom.

Onid yw pawb ohonom yn gystadleuol mewn rhyw ffordd – eisiau bod, nid yn glyfar, ond yn glyfrach na rhywun arall? Nid mesur ein clyfrwch neu unrhyw ddawn arall ynom ynddo'i hun, neu mewn perthynas â'n hangen, ond drwy'r pellter y mae'n ei greu rhyngom ni ac eraill, pellter sy'n ennill mantais i ni, yn ein rhoi ar y blaen. Gellid treulio oes yn creu'r pellterau hynny.

Ond nid yw Duw'n cystadlu â ni. Efallai mai Ef yw'r unig un na fydd byth yn cystadlu â ni. Dyna pam y gall fod yn nes atom nag ydym i'n gilydd – nag ydym i ni'n hunain. Pa ffordd well iddo arddangos hynny na thrwy fod yn bresennol i ni mewn baban. Mae babanod yn ein diarfogi am nad ydynt yn rhoi pellter rhyngom a nhw drwy geisio cystadlu â ni. Drwy hynny maent yn ein gwahodd ni i fod yn agored yn eu cwmni, i fod yn 'ni ein hunain' ar ein gorau, heb ymdrech i greu argraff, heb wasgfa i fod yn ffug, a phopeth annymunol ynom yn cael ei roi naill ochr am y tro.

Drwy uniaethu Duw â baban dengys y Nadolig hefyd fod Duw'n agos atom oherwydd nid un a all ewyllysio ein gorfodi i wneud dim yw baban. Mae gorfodaeth yn addas mewn rhai cylchoedd o fywyd. Ni all unrhyw gymdeithas fyw mewn anarchiaeth lwyr, a rhaid wrth radd o orfodaeth i geisio cael rhai pobl i unrhyw fesur o gydweithio. Ond defnyddiwn orfodaeth mewn ffurf anaddas yn aml, a'n pellhau oddi wrth ein gilydd wna hynny eto wrth gwrs. Gall ddigwydd pan ddefnyddiwn agwedd ormesol i geisio cael pobl i gredu a gweithredu fel y mynnem ni iddynt wneud. Gallwn gredu bod gennym reswm da dros wneud hynny, megis awydd rhannu bendithion a dderbyniasom ni. A gall fod gennym reswm gwael dros wneud hynny, megis awydd ymestyn rhyw gylch o fywyd y mae gennym ni le breiniol a phŵer ynddo. Y naill ffordd neu'r llall, gall fod yn rhwystredigaeth pan wrthoda pobl gredu'r hyn y mynnem ni iddynt ei gredu, a gwneud yr hyn y mynnem ni iddynt eu gwneud, yn enwedig pan fyddwn yn hollol sicr ein bod yn iawn!

Mae hanes am Iesu'n ymweld â phentref, a'r bobl yno'n gwrthod ei dderbyn. Ymateb y disgyblion oedd, "Gadewch i ni alw tân i lawr o'r nef a'u difetha i gyd." Ond yr hyn a ddywedodd Iesu oedd, "Na, ysgydwch y llwch oddi ar eich traed ac ewch ymlaen." Ceisio agor ein meddyliau wna Duw, nid hollti'n pennau! Mae ef eisiau ein gwneud yn gariadus, ond o ddewis, nid drwy orfodaeth. Nid datguddiad o rym a welwyd ym Methlehem.

Mae hanes Cristnogaeth yn frith o enghreifftiau o Gristnogion a fu'n gystadleuol ac yn ormesol yn y ffyrdd gwaethaf posibl. Weithiau, plant eu hoes oeddent efallai, yn wyneb gwasgfeydd na wyddom ni ddim amdanynt, ac weithiau, yr hyn sydd wedi symud ein byd amherffaith ymlaen, wrth gwrs, yw'r gwyrdroi o'r gorau. Ond un o'r pleserau mawr o fod yn Gristion heddiw yw gweld cymaint llai cystadleuol a gormesol y mae meddylwyr Cristnogol cyfoes na'u rhagflaenwyr. Gwelsom ymwrthod â gormes yma a thraw yn y byd y tu allan i Gristnogaeth hefyd yn y degawdau diwethaf, yn Ne Affrica, yn yr Wcrain, yn Libanus. Efallai bod y baban yn y preseb yn ennill y dydd, drwy ddirgel ffyrdd.

Beth wnawn i heddiw pe bawn i'n Dduw ac eisiau gwella'r byd? Boddi'r cyfan a cheisio dechreuad newydd gydag un dyn da? Ond nid aeth Noah â phethau ymhell iawn. Rhoi rheolau syml clir i bobl ynghylch sut mae byw? Ond yr oedd terfyn ar effeithiolrwydd y Deg Gorchymyn. Danfon cyfres o weledyddion i draethu negeseuon aruchel? Dim ond hyd at ryw fan yr arweiniai gweledigaethau'r proffwydi hefyd. Beth felly am dorri cwys newydd sbon – danfon athrylith meddyliol dihafal a gorchymyn iddo ysgrifennu'r llyfr gwychaf posibl, neu ddanfon byddin anorchfygol i arddangos fy nerth?

Flynyddoedd yn ôl gwelais ffilm am sheriff ifanc dibrofiad a diglem, (Anthony Perkins), yn cwrdd â hen law o sheriff a fu'n nodedig o lwyddiannus yn ei ddydd (Henry Fonda). "Buost ti'n sheriff fel fi unwaith, on'd do?' meddai'r ieuengaf wrth yr hynaf. Edrychodd hwnnw lan a lawr arno'n hir, fel pe bai'n ei fesur â'i lygaid. Yna atebodd yn araf, "Na, nid un fel ti, ngwas i." Neges Bethlehem yw nad un fel ni yw Duw ychwaith.

*Diwedd glo*

# *Rhywbeth am Ddim*

*'..mab a roed i ni...'* Eseia 9:6

Bu amser pan ddathlwyd y Groglith a'r Pasg drwy fyd cred lawn cymaint â'r Nadolig, ac yn aml yn fwy. Gall fod yna gilfachau lle mae hynny'n wir o hyd. Ond ers amser nawr, yn ein byd Gorllewinol cyfoes ni yn gyffredinol, mae llawer mwy o ddathlu'r Nadolig, hyd yn oed mewn eglwysi, na sydd o ddathlu'r Groglith a'r Pasg.

Fe welodd rhai groeshoeliadau yn nyddiau'r Ymerodraeth Rufeinig, a gwelodd dilynwyr Iesu ei atgyfodiad. Nid yw'r rhain yn brofiadau i neb mwyach, felly maent yn bynciau anodd hyd yn oed i feddwl amdanynt ac i'w dychmygu. Nid peth y gall neb ei drin yn ysgafn chwaith yw'r groes, ac mae'r atgyfodiad yn her gwirioneddol i'r deall. Ar y llaw arall, genir babanod o'n cwmpas ni i gyd byth a hefyd, mae rhai'n gweld hynny'n digwydd, ac achos llawenydd yw genedigaeth bron yn ddieithriad.

At hynny, mae gwreiddiau rhai o elfennau'r dathlu o'r Nadolig yn baganaidd – uchelwydd, pinwydd, addurniadau, Siôn Corn, bwydydd arbennig a diodydd, a gellid eu mwynhau i gyd heb ddiddordeb yn ystyr crefyddol yr ŵyl. Ar sawl cyfrif felly, i'r mwyafrif mawr gall y Nadolig fod yn ŵyl rhwydd iawn.

Gwnaeth hynny hi'n haws i fyd masnach ddechrau cymryd mantais ohoni yn y 19eg ganrif, ac mae'r Nadolig bellach yn llwyddiant masnachol ysgubol wrth gwrs. Ar yr elw a wnânt dros y Nadolig y dibynna rhai rhannau o fyd masnach erbyn hyn, a magant fwy a mwy o hyfdra yn eu hymdrechion i wneud prynwyr tymhorol nid yn unig o oedolion, ond o'r ifainc hefyd, sydd â digon o arian eu hunain i ddylanwadu ar fyd masnach nawr (*'consumer-trainees'* chwedl David Riesman yn *'The Lonely Crowd'*).

Hyd yn oed i'r rhai sy'n pryderu ynghylch gormes byd masnach adeg y Nadolig, mae'n anodd ei wrthsefyll. Bydd eraill, heb boeni dim ynghylch yr ormes honno, yn mwynhau'r cyfle i wario mewn moddau pleserus ond crefyddol-diystyr. Iddynt hwy, cyfle yw i brynu'r hyn y tybiant y maent hwy eu heisiau, i brynu'r hyn y tybiant y mae eraill eu heisiau, ac i brynu mwy o fwyd a diod nag y mae ar neb eu heisiau.

Awgrymodd un diwinydd mai un rheswm pam mai sŵn a miri a phetheuach a gormodedd yw hanfod dathlu'r Nadolig i gymaint o bobl, yw mai gwneud yn iawn y maent am y ffaith eu bod yn amau eu bod yn methu â deall craidd y Nadolig, neu yn ei ledddeall ond yn methu â dygymod ag ef.

Gellir awgrymu rheswm am hynny hefyd. Yn ein hymwneud ag eraill teimlwn fod gennym at ei gilydd hawl i ddisgwyl perthynas resymol o gyfartal yn unrhyw roi a derbyn rhyngom. Ar sail y disgwyl hwnnw yr adeiladwn ein moesoldeb personol a chymdeithasol, ac at ei gilydd mae'n batrwm da i bob math ar gyd-fyw llwyddiannus.

Ond mae ochr arall i'r geiniog arbennig hon. Ymdreiddiodd y patrwm o roi a derbyn, o dderbyn a rhoi, mor ddwfn i eneidiau rhai ohonom fel na fyddwn yn gysurus yn derbyn unrhyw beth heb i ni roi cymaint ag y derbyniwn, hynny yw, heb ein bod ni'n 'talu' am yr hyn a dderbyniwn. Gall nodweddion a phrofiadau personol atgyfnerthu'r anghysur hwn ynom – rhy ychydig o hunan-dyb i ni allu credu y rhoddai unrhyw un rywbeth i ni'n rhad ac am ddim, siom yn y gorffennol a bair ein bod yn tueddu gweld cymhellion cudd ym mhob haelioni tuag atom, bygythiad rhodd ddiamodol i'n hangen am ddal yr awenau ym mhob sefyllfa, a'n hofn rhag i neb gredu ein bod ni 'fel rhai pobl' sy'n cymryd mantais o bob cyfle i gael rhywbeth am ddim – gan gynnwys oddi wrth y wladwriaeth! Perygl hynny oll yw i ni fethu â derbyn pethau a roddir i ni'n ddidelerau – heb sôn am rywbeth a roddir i ni na allwn ni fyth roi dim cyffelyb yn ôl amdano.

Gall hynny yn ei dro guddio oddi wrthym ffaith am y natur ddynol na fyddem ni greaduriaid balch o annibynnol yn fodlon ei addef efallai, hyd yn oed pe gwypem amdano, rhag ofn i ni ymddangos, hyd yn oed i ni ein hunain, yn bersonau anghenus. Y ffaith honno yw mai'r bodlonrwydd dynol dyfnaf posibl yw bod yn wrthrych haelioni ystyriol a bwriadol sy'n ein cydnabod a'n cadarnhau, sy'n rhoi gwerth arnom ac yn ein dyrchafu. Profiad yw hwnnw a all fod yn fwy o achos llawnder a llawenydd nag unrhyw un arall y gallwn ei ddychmygu. Profiad yw hefyd nad oes unrhyw ymateb iddo'n ddigonol a theilwng, ond rhyfeddod, a diolchgarwch gwylaidd. A gyda'r rhyfeddod a'r diolchgarwch hwnnw cawn olwg newydd mwy tyner a charedig arnom ein hunain, a thrwy hynny ar eraill hefyd. Cawn ein gweld ein hunain a phobl o'n cwmpas drwy lygaid awdur y fath haelioni.

O dan y wedd hunangar a masnachol arno, yr ochr draw i'r arferion a'r traddodiadau diwylliannol a chrefyddol a ymgasglodd o'i gwmpas, dyna yw'r Nadolig. Craidd yr ŵyl yw rhywbeth anhraethol fawr a roddir am ddim i ni, graslonrwydd digymysg, pur tuag atom sydd yn ein harddel a'n codi, ac sydd felly'n ein rhyddhau.

Ymhlyg yn hanesion Mathew a Luc am y graslonrwydd hwnnw y mae darlun o fywyd. Ni all dim gymryd lle'r hanesion hynny, yn yr ystyr, pe baent hwy'n marw byddai'r darlun yn marw gyda nhw. Nid dull o fynegi rhywbeth yw'r hanesion chwaith, fel pe gellid eu rhoi naill ochr a chymryd allan ohonynt eu neges, fel pe bai'r hanesion yn fasgl a'r cynnwys ynddynt yn gnewyllyn. Hanesion ydynt y mae biliynau o Gristnogion wrth dderbyn y darlun ynddynt wedi cael ysbrydiaeth a'u cynorthwyodd i wynebu pob peth y gallodd bywyd ei daflu atynt, a gwneud hynny â mesur da o raen a llwyddiant.

Cofiaf ddarllen am ddarlun gwahanol iawn yn fy arddegau, yn *'Mysterious Universe'* Syr James Jeans, y Seryddwr Brenhinol ar y pryd, a darllenais am ddarlun tebyg i hwnnw eto yn ddiweddarach yn *'The Problem of Pain'* C. S. Lewis. "Pe gofynasai rhywun i fi pan oeddwn yn anffyddiwr" meddai Lewis, "pam na chredaf yn Nuw, buaswn wedi ateb rhywbeth fel hyn:-

'Edrychwch ar y bydysawd, mae'r cyrff nefol yn y gofod mor ychydig o'u cymharu â'r gofod ei hun, fel pe bai pob un ohonynt yn orlawn o greaduriaid cwbl hapus, byddai'n anodd hyd yn oed wedyn i gredu bod bywyd a hapusrwydd yn ddim namyn cynnyrch damweiniol y pŵer a wnaeth y cread.'" Â ymlaen i sôn am fyrder bywyd dynol ar ein daearen ni, y modd y mae'r ymwybod dynol wedi gwneud poen yn bosibl, a deall wedi ei gwneud yn bosibl rhagweld poen ac angau. Casgliad Jeans oedd bod y cread yn ddi-ddadl yn elyniaethus i fywyd dynol, a chasgliad Lewis bryd hynny oedd, naill ai nad oedd unrhyw ysbryd y tu cefn i'r cread, neu fod yna ysbryd sy'n ddihitans o ddrwg a da y tu cefn iddo, neu fod yna ysbryd drwg yno.

Cynigia'r Nadolig i ni ddarlun o fyd y mae y tu cefn iddo Dduw sydd, nid yn dirfeddiannwr absennol, nid yn ddirgelwch pur na allwn dreiddio i'w hanfod, ond sy'n Ysbryd presennol a fydd bob amser 'gyda ni', mewn addewid dihaeddiant o dynerwch plentyn-debyg ond anorchfygol. Darlun yw sy'n ein gwahodd i ymuno â'r angylion mewn mawl, a darlun yw sy'n ein nerthu i fod o gwmpas y themâu Nadoligaidd o barch a goleuni a thangnefedd a llawenydd i bawb yn y byd. Darlun yw a grisielir mewn geiriau y mae Cristnogion wedi eu hen feddiannu a'u gwneud yn eiddo iddynt hwy eu hunain, geiriau y proffwyd Eseia – 'mab a roed i ni.' Haleliwia, ac Amen.